AQUÍ SE HABLA ESPAÑOL

BERTRAM E. LAMPHIER
BOX 31, STATION C
PASADENA 6, CALIF.

BY

Margarita López

AND

Esther Brown

AUSTIN HIGH SCHOOL
EL PASO, TEXAS

D. C. Heath and Company

BOSTON

ILLUSTRATED
BY LEO POLITI

Aquí se habla español

 PRINTED IN THE UNITED STATES OF AMERICA. (5 G 3)

Offices

BOSTON NEW YORK CHICAGO
SAN FRANCISCO ATLANTA DALLAS
LONDON

PREFACE

The material in this text is designed primarily to teach the vocabulary necessary for *speaking* Spanish. It is meant for use in junior and senior high schools and in colleges. Any ability that the student may acquire to *read* literary works in Spanish by studying this book is incidental to the primary aim of aiding him to speak and to understand the spoken language.

The book is not a basic text. Some months or weeks of study with an accepted basic text is highly desirable if Spanish is the first language that the student is beginning. He must become aware of the importance of the inflection of nouns and verbs; he must acquire some vocabulary, a certain ability to pronounce words and to divide them into syllables, before the use of this book will be helpful to him. After one semester, at most, students need use the basic text only as a reference book for verb forms and grammar rules, and as a dictionary.

Aquí se habla español abounds in *americanismos*, especially *mexicanismos*, accepted by the Spanish Academy as current and correct in America. Throughout the book, in parentheses, will be found well-known synonyms for many of these words used in the text.

Ample reviews and vocabulary drills occur at intervals in the book to assist the student in fixing new words in his mind and to aid the teacher in measuring the achievement of students in vocabulary building. There is sufficient material for use during three or four semesters, if it is used as planned.

No particular divisions by semesters are recommended. Students should advance as fast as they can. It is not necessary to study the material in the sequence as printed. Students have been allowed to choose, at times, what dialogs they prefer to act. The reviews, however, cover the lessons that immediately precede them.

The method followed should result in classroom activities which more nearly resemble those of a speech or dramatics class rather than those of the traditional reading-grammar-translation course in Spanish. All the dialogs should be *memorized* by all students and acted out as plays in class with all the business and properties available. The use of properties and the acting out of the various lessons enable the student to establish a direct relation between the objects or activities and the Spanish words used to express them. These concrete objects, besides serving as teaching aids, also help the student in memorizing the lessons, since they are valuable to him as cues.

In the lesson *Van de compras*, for instance, a basket, a milk bottle, cans of food, fruit, eggs, and so forth should be used. In the lesson *Llegan a la tienda*, a local grocer will doubtless be glad to contribute the perishable foods, or they can be brought by members of the class as a part of the assignment. In the lesson *La casa*, miniature rooms can be made with all furniture mentioned and these rooms used as concrete things to look at and to talk about. Another very interesting lesson has been made from *El hospital*, in which the patient is actually propped up among pillows, under covers with a bell at his side. Chairs in the class can be used to make an improvised bed very easily. The nurse should be required to execute the orders of the petulant patient. All the consultations with the doctors can be made very real, as well as the buying situations where at least some of the things bought and sold must be on hand as properties. The teachers who have used the book have found it convenient to make a permanent collection of certain articles of clothing, empty bottles, and boxes which have contained foods, drugs, cosmetics, and the like. These are supplemented by other contributions from students. Many things for the hardware-store scenes can be borrowed from the school janitor.

Grammar should not be taught except when students ask for reasons, rules, or guides to make the work clearer or more systematic. Surprisingly, they do ask for such explanations!

In actual practice, it has been found that it is best to give *short* bits to be learned perfectly as far as intonation, sentence structure, and vocabulary are concerned. The word "translate" should become "give the equivalent of" and students should say whole phrases or sentences and not isolated words only. The lesson should be translated by the teacher, if necessary, to make the meaning perfectly clear before memory work begins. Then the dialog should be read in Spanish aloud by the class in unison to fix correct phrasing, intonation, and pronunciation before memorizing.

But, after all, a textbook can not accomplish everything. A great deal of the successful use of any material depends on ingenious and resourceful teaching methods employed to suit the individual class. Every good teacher has her own devices that make for success.

Aquí se habla español has been warmly received by students, teachers, administrators, and public alike, and its use has been highly successful in all the classes where it has been tried. Every lesson has been tested and proved by actual class use.

The authors wish to acknowledge the inspiration and help of Mr. A. H. Hughey, Superintendent of the El Paso Public Schools, without whose encouragement and advice this book would not have been undertaken. Grateful acknowledgment is also made to the eminent scholar, Father José Hernández del Castillo, S. J., of Ysleta College, El Paso, Texas, for his invaluable help in reading and correcting the manuscript. Without the benefit of his untiring interest, his kindness and encouragement, this work could not have been completed. Special thanks are extended to the well-known artist, Leo Politi, for capturing the spirit of the text in his timely and appealing illustrations, which add immeasurably to the effectiveness of the book.

El Paso, Texas

Margarita López
Esther Brown

ÍNDICE

AQUÍ SE HABLA ESPAÑOL

1

VAN DE COMPRAS

— Como hoy es sábado, tenemos que ir a la tienda de abarrotes (alimentos, comestibles) a comprar algo para la semana. Lupe puede ir conmigo para ayudarme con los bultos porque la tienda está algo lejos. ¿Qué se necesita hoy, Lupe?

— Pues, señora, no se necesita ni crema ni azúcar. A ver lo que hay en el refrigerador. No hay fruta, señora. Hay solamente 3 (tres) huevos y 2 (dos) rebanadas (lonjas) de tocino. También hay medio frasco (botella) de leche.

— Entonces tengo que comprar lo que se necesita. También voy a comprar una libra de café *Bombero* y una pieza (un bollo) de pan blanco rebanado en rebanadas delgaditas.

Tenemos avena y otros cereales, ¿ verdad ? Vámonos ya, que son las nueve.

— Muy bien, señora. Estoy lista. Aquí tengo la canasta.

La señora y su criada van al centro de la ciudad en el tranvía.

Vocabulario adicional

el aguacate *alligator pear*	el elote *corn* (roasting ear)
el frijol *bean* (dried)	el chícharo *pea*
el ejote *bean* (string)	el chile *pepper* (chilli)
la coliflor *cauliflower*	la papa *potato* (Irish)
el apio *celery*	el camote *potato* (sweet)

I. Contéstense las siguientes preguntas:

1. ¿ Cómo se llama la criada ? 2. ¿ Cuántas libras de café va a comprar la señora ? 3. ¿ Qué otra cosa va a comprar ? 4. ¿ Qué había en el refrigerador ? 5. ¿ Qué día de la semana compra los abarrotes su mamá ? 6. ¿ Hay mucho tocino en el refrigerador ? 7. ¿ A qué hora van al centro de la ciudad ? 8. ¿ Quién va a ayudar a la señora con los bultos ? 9. ¿ Qué marca de café compran en esta casa ? 10. ¿ Está cerca de la casa la tienda de abarrotes ?

II. Aprenda de memoria el papel de uno de los personajes para representarlo con otro delante de la clase.

III. Traduzca al español:

1. Today is not Saturday. 2. There is no breakfast food. 3. It is twelve o'clock. 4. There is cream in the refrigerator. 5. What do we need today ? 6. I am going to buy some bacon. 7. Are you ready ? 8. The packages are in the basket. 9. Where is the grocery store ? 10. They are going down town.

1

VAN DE COMPRAS

— Como hoy es sábado, tenemos que ir a la tienda de abarrotes (alimentos, comestibles) a comprar algo para la semana. Lupe puede ir conmigo para ayudarme con los bultos porque la tienda está algo lejos. ¿Qué se necesita hoy, Lupe?

— Pues, señora, no se necesita ni crema ni azúcar. A ver lo que hay en el refrigerador. No hay fruta, señora. Hay solamente 3 (tres) huevos y 2 (dos) rebanadas (lonjas) de tocino. También hay medio frasco (botella) de leche.

— Entonces tengo que comprar lo que se necesita. También voy a comprar una libra de café *Bombero* y una pieza (un bollo) de pan blanco rebanado en rebanadas delgaditas.

Tenemos avena y otros cereales, ¿verdad? Vámonos ya, que son las nueve.

— Muy bien, señora. Estoy lista. Aquí tengo la canasta.

La señora y su criada van al centro de la ciudad en el tranvía.

Vocabulario adicional

el aguacate *alligator pear*
el frijol *bean* (dried)
el ejote *bean* (string)
la coliflor *cauliflower*
el apio *celery*
el elote *corn* (roasting ear)
el chícharo *pea*
el chile *pepper* (chilli)
la papa *potato* (Irish)
el camote *potato* (sweet)

I. Contéstense las siguientes preguntas:

1. ¿Cómo se llama la criada? 2. ¿Cuántas libras de café va a comprar la señora? 3. ¿Qué otra cosa va a comprar? 4. ¿Qué había en el refrigerador? 5. ¿Qué día de la semana compra los abarrotes su mamá? 6. ¿Hay mucho tocino en el refrigerador? 7. ¿A qué hora van al centro de la ciudad? 8. ¿Quién va a ayudar a la señora con los bultos? 9. ¿Qué marca de café compran en esta casa? 10. ¿Está cerca de la casa la tienda de abarrotes?

II. Aprenda de memoria el papel de uno de los personajes para representarlo con otro delante de la clase.

III. Traduzca al español:

1. Today is not Saturday. 2. There is no breakfast food. 3. It is twelve o'clock. 4. There is cream in the refrigerator. 5. What do we need today? 6. I am going to buy some bacon. 7. Are you ready? 8. The packages are in the basket. 9. Where is the grocery store? 10. They are going down town.

2

LLEGAN A LA TIENDA

La señora Wilson y su criada, Lupe, están ya en la tienda escogiendo la fruta y la verdura. Hay buenas naranjas a 23 (veintitrés) centavos la docena. Las toronjas están a 5 (cinco) centavos cada una. Los plátanos están un poco pasados y por eso no los compran. Compran dos libras y media de manzanas a 9 (nueve) centavos la libra.

— Mire, Lupe, el jugo de tomate está muy barato hoy: dos latas grandes por 15 (quince) centavos.

El tendero se acerca y le dice a la señora Wilson:

— ¿ Qué desea Ud., señora ? Tenemos espinacas muy frescas a un centavo la libra. También hay zanahorias, nabos, calabacitas, cebollas, betabeles (remolachas), rábanos y espárragos.

— ¿ Cuánto cuesta el manojo de zanahorias ?

— Cuesta 3 (tres) centavos cada uno, señora.

— Voy a escoger dos manojos de zanahorias y uno de cebollas. También quiero una caja de fresas y una botella de jugo de uva. ¿ Qué más, Lupe ?

— Para la ensalada compuesta se necesitan lechuga, repollo (col), tomates, pepinos, una botella de vinagre y una lata de aceite de oliva.

— Hay bastante sal y pimienta en casa, ¿ no ?

— No, señora. Se me olvidó decirle que se acabó la sal ayer.

23
la
docena
5
cada

Vocabulario adicional

el chabacano (albaricoque) *apricot*
la zarzamora *blackberry*
el melón *cantaloupe*
la cereza *cherry*
el limón *lemon*
el durazno (melocotón) *peach*
la pera *pear*
la piña *pineapple*
la ciruela *plum* or *prune*
la frambuesa *raspberry*
la sandía *watermelon*

I. Contéstense las siguientes preguntas:

1. ¿ Qué dice el tendero al acercarse a la señora ? 2. ¿ Cuántas latas de jugo de tomate quiere ella ? 3. ¿ Hay papas en la tienda ? 4. ¿ Están caras o baratas las espinacas ? 5. ¿ Había vinagre en la casa Wilson ? 6. ¿ Tienen que comprar las fresas por docena ? 7. ¿ Compraron plátanos ? 8. ¿ Qué verdura prefiere comer Ud. ? 9. ¿ Cuándo se acabó la sal en la casa Wilson ? 10. ¿ Sabemos cuánto cuestan los espárragos por manojo ?

II. Aprenda de memoria el papel de uno de los personajes para representarlo con otro delante de la clase.

III. Traduzca al español:

1. the orange juice
2. a dozen eggs
3. I forgot.
4. a box of grapefruit
5. a bunch of radishes
6. a bottle of olive oil
7. at twenty cents a pound
8. each bunch
9. There isn't enough vinegar.
10. a can of beets
11. a box of strawberries
12. Let's see.
13. The pepper gave out.
14. How much does it cost ?
15. a milk bottle
16. the vegetable

3

LA CARNICERÍA

La tienda a la izquierda de la de abarrotes es la carnicería *García*. El dueño, Pepe García, tiene el mejor surtido de carnes de la ciudad. Los sábados hay venta especial de varias clases de carne. Por ejemplo, en carne de res tiene buenas chuletas a 40 (cuarenta) centavos la libra. Un filete entero cuesta $2.40 (dos pesos cuarenta centavos). Un trozo grande de carne de res o de puerco (cerdo) para asar se vende a 70 (setenta) centavos la libra o a $1.50 (un peso cincuenta centavos) el kilo.

En la pared, colgados en ganchos de hierro, se ven grandes trozos de ternera y de carnero. También se ve allí un gran surtido de lenguas. Hay pollos y guajolotes (pavos) ya limpios. En esta tienda hay un departamento donde se venden salchichas de todas clases, quesos, jamón cocido, hígado y manteca.

Vocabulario adicional

la barbacoa *barbecue*
el bistec *beefsteak*
el hueso *bone*
el caldo *broth*
la carne gorda *fat*
el pescado *fish*
frito *fried*
la grasa *grease*
la carne flaca *lean meat*
las costillas *ribs*

I. Contéstense las siguientes preguntas:

1. ¿ Dónde se vende la carne cruda ? 2. ¿ Cómo se llama la persona que vende carne ? 3. ¿ A cómo se vende la libra de salchichas ? 4. ¿ Qué carne le gusta más a Ud. ? 5. ¿ Está la carnicería *García* a la derecha o a la izquierda de la tienda de abarrotes ? 6. ¿ Cómo se llama la carnicería que está más cerca de su casa ? 7. ¿ Se

venden huevos (blanquillos) en una carnicería? 8. ¿Le gusta a Ud. más la carne asada o la carne frita? 9. ¿Dónde se ven las grandes piezas de carne en una carnicería? 10. ¿Qué se ve en el mostrador de la carnicería García?

II. Lea en español:

1. $2\frac{1}{2}$ libras de queso
2. \$5.95
3. 8 docenas de huevos
4. $1\frac{1}{2}$ kilo de hígado
5. 6 chuletas de carnero
6. 11 rebanadas de pan
7. 15 costillas
8. \$1.30
9. a 80¢ el kilo
10. a 60¢ la libra

III. Escriba en español una lista de cuatro cosas que Ud. puede comprar en una carnicería y pídaselas a un compañero que hará el papel de carnicero.

4

LA COCINA

A.

El papá, la mamá, Adela y Guillermo están sentados a la mesa del comedor. Ha terminado la cena.

EL PAPÁ. Hoy es jueves y ustedes tienen que lavar los trastes (la vajilla) porque Rosita salió a pasear.

GUILLERMO. Primero tenemos que quitarlos de la mesa, ¿ verdad ?

LA MAMÁ. Sí, hijo mío, y cuidado con la porcelana.

ADELA. Yo llevo los platos con mucho cuidado. (*Lo hace.*)

GUILLERMO. Entonces yo llevo los tenedores, las cucharas y los cuchillos. (*Coge cada cosa al nombrarla.*)

LA MAMÁ. Favor de llevar esta taza con su plato, Adela, y guarde las servilletas en el cajón de arriba del aparador.

ADELA. Sí, mamá.

EL PAPÁ. Voy a llevarme este vaso de agua a la sala.

B.

GUILLERMO (*en la cocina*). ¿ Usamos jabón en barra o en polvo ?

ADELA. El jabón en polvo es mejor. Yo busco el trapito para lavar. Aquí está. Yo los lavo.

GUILLERMO. Y yo los seco y los pongo en la mesa del comedor.

ADELA. ¡ Caramba! Esta sartén está muy grasosa. No puedo limpiarla bien.

GUILLERMO. Hay que refregarla más.

ADELA. ¿ Ha puesto todos los trastes en la mesa del comedor ?

GUILLERMO. Sí, Adela, también he guardado en la alacena las ollas, el baño de maría y la parrilla.

LA MAMÁ (*al entrar en la cocina*). ¿ Ha fregado bien la estufa, Adela ?

ADELA. Sí, mamá, y está muy lustrosa.

Vocabulario adicional

la escoba *broom*
el rincón *corner*
el limpiador *dish towel*
el cajón de abajo *lower drawer*
el cajón de en medio *middle drawer*
el cajón de arriba *top drawer*
el plumero *duster*
la cazuela *pan*
la despensa *pantry*
el tablero *shelf*
el lavadero *sink, dishpan*
barrer *to sweep*

I. Contéstense las siguientes preguntas:

1. ¿ Tiene Ud. que lavar o secar los trastes en su casa ? 2. ¿ Qué prefiere Ud., el jabón en barra o en polvo ? 3. ¿ Dónde pone Ud. los tenedores ? 4. ¿ Qué hay en los tableros de la alacena ? 5. ¿ Con qué se barre ? 6. ¿ Se necesita trapo grande o chico para lavar los trastes ? 7. ¿ Qué quiere decir « dishcloth » en castellano ? 8. ¿ Qué se encuentra en una despensa ? 9. Por lo general, ¿ dónde se guarda la escoba ? 10. ¿ Cuántos cajones hay en la alacena de su cocina ?

II. Aprenda de memoria el papel de uno de los personajes para representarlo con otro delante de la clase.

III. Haga una lista en español de todos los objetos de cocina que la maestra le enseñe.

5

REPASO DE LAS LECCIONES 1–4

I. Escoja la palabra que no pertenezca a cada grupo:

1. los chícharos, los betabeles, los plátanos, las espinacas, las papas.
2. el tocino, la lechuga, el jamón, el carnero, la ternera.
3. el café, la leche, el té, el chocolate, la manteca.
4. el bulto, el lunes, el sábado, el jueves, el miércoles.
5. siete, diez, quince, veinte y cinco, centavo.
6. la alacena, la botella, la estufa, el refrigerador, el lavadero.
7. la cuchara, el cuchillo, el tenedor, la cucharita, el cajón.
8. la libra, la docena, el hueso, el manojo, la lata.
9. secar, limpiar, lavar, comprar, fregar.
10. las naranjas, las cebollas, las toronjas, las ciruelas, las cerezas.
11. el aceite, la sal, la pimienta, el vinagre, el camote.
12. la olla, la cazuela, la despensa, la sartén, el baño de maría.
13. la salchicha, el queso, la lengua, el hígado, el pescado.
14. la chuleta, la carne de res, la carne de puerco, el pollo, el guajolote.

II. Dé el inglés de las palabras en *letra bastardilla:*

1. *A ver* quiere decir en inglés ——. 2. *Vámonos* quiere decir en inglés ——. 3. *Hay medio frasco* significa ——. 4. *Estoy lista* significa ——. 5. *Tienen que comprar* significa ——. 6. *¿Qué marca?* quiere decir ——. 7. *No hay dinero* quiere decir ——. 8. *Está en el gancho* quiere decir ——. 9. *Al centro* quiere decir ——. 10. *De mala clase* quiere decir ——. 11. *El pan rebanado*

significa ——. 12. *¿Cuánto cuesta?* significa ——. 13. *La tienda de abarrotes* se traduce ——. 14. *Van de compras* quiere decir ——. 15. *Salí a pasear* quiere decir ——. 16. *Hay bastante avena* quiere decir ——. 17. *Ni crema ni azúcar* quiere decir ——. 18. *Una venta especial* quiere decir ——. 19. *Se me olvidó* quiere decir ——. 20. *Ya se acabó* quiere decir ——.

III. Escoja de la lista A y de la lista B las palabras de sentido opuesto:

A	B
costoso	derecho
sucio	flaco
fresco	pasado
cerca	limpio
gordo	descompuesto
izquierdo	poco
crudo	barato
compuesto	lejos
mucho	cocido

6

EL AUTOMÓVIL

A.

Tres amigos van a una agencia de automóviles a ver los coches que acaban de llegar de la fábrica.

EL AGENTE. Buenos días, señores. ¿En qué les puedo servir?

EL 1er (PRIMER) SEÑOR. Queremos ver los coches nuevos.

EL AGENTE. Muy bien, señores. Pasen adelante. Aquí tienen uno muy lujoso.

EL 2o (SEGUNDO) SEÑOR. Las defensas son muy fuertes, ¿verdad?

EL 3er (TERCER) SEÑOR. Y miren Uds. la nueva forma del parabrisas.

EL AGENTE. Sí, señores. El vidrio del parabrisas y de todas las ventanillas es irrompible.

EL 1er SEÑOR. Me gusta mucho la carrocería con estos nuevos estribos y salpicaderas.

EL 2o SEÑOR. ¡ Qué elegantes las puertas con estos mangos nuevos !

EL 3er SEÑOR. Las luces y el radiador tienen una forma muy rara.

EL AGENTE. ¿ Quieren subirse al coche, señores, para verlo por dentro ?

LOS TRES SEÑORES (*al mismo tiempo*). Sí, señor.

B.

EL 2o SEÑOR. El asiento de enfrente parece tan ancho como el asiento de atrás.

EL 3er SEÑOR. Pero el techo es muy bajo. Esto no me gusta.

EL 1er SEÑOR. El medidor de gasolina y el medidor de velocidad son demasiado grandes para el tablero.

EL AGENTE. Y miren Uds. que la palanca de velocidades está en el volante.

EL 2o SEÑOR. Favor de sonar la bocina (el klaxon) a ver como suena. (*Al oírla.*) ¡ Qué bonito sonido !

EL 3er SEÑOR. Ayer ví un choque entre un camión y un coche. El chofer del coche no hizo alto en la avenida Juárez. Chocó en la mera (misma) esquina con un camión que venía a toda velocidad.

EL 1er SEÑOR. Yo ví el mismo choque desde la banqueta (acera). Pronto se juntó mucha gente. Luego llegaron los agentes de tráfico y aprehendieron (detuvieron) a la persona que manejaba el coche.

EL 2o SEÑOR. ¿ Hubo heridos o muertos ?

EL AGENTE. Heridos nada más. Yo leí de este accidente

en el periódico de la mañana. El chofer del camión fué herido por un vidrio.

Vocabulario adicional

el freno *brake*
el aire *choke*
el embrague *clutch*
el gato *jack*
la licencia *license*
la placa *plate* (*license*)
el muelle *spring*
arrancar *to start a car quickly*
la chispa *starter, spark*
el acelerador de mano *throttle*
el limpiador del parabrisas *windshield wiper*

I. Contéstense las siguientes preguntas:

1. ¿ Sabe Ud. manejar un automóvil ? 2. ¿ Tiene Ud. una licencia para manejar ? 3. ¿ Dónde está la estación de gasolina más cerca de aquí ? 4. ¿ Ha chocado Ud. alguna vez ? 5. ¿ Ha sido aprehendido Ud. por una infracción de tráfico ? 6. ¿ Qué quiere decir *hacer alto?* 7. ¿ Cuántos litros hay en un galón ? 8. ¿ Cuál indica mayor distancia, una milla o un kilómetro ? 9. ¿ Ha guiado Ud. un camión alguna vez ? 10. ¿ Son anchos o angostos los estribos de los coches nuevos ?

II. Aprenda de memoria el papel de uno de los personajes para representarlo con otros delante de la clase.

III. Nombre y describa en español las partes de un juguete o de una fotografía de un coche al señalarlas delante de la clase. Por ejemplo: « Este coche es un juguete. Es rojo. Tiene cuatro salpicaderas. No tiene motor. No tiene palanca de velocidades. No tiene vidrios en las ventanillas, etc. »

7

EN EL GARAGE

A.

La familia Hernández iba en su auto por la carretera a Puebla cuando se oyó un silbido.

ENRIQUE. Ya se picó una llanta (se vació una goma o un neumático). ¿ Cuál será ?

JOSEFINA. Es la de mi lado.

ENRIQUE. A ver. Pues, sí. Es la de atrás del lado izquierdo.

JOSEFINA. ¿ Qué hacemos, papá ?

ENRIQUE. Yo voy a quitar la llanta que se picó para poner en esa rueda la llanta de repuesto. Después nos vamos a aquella estación de gasolina. (*Llegan a la estación de gasolina.*)

EL EMPLEADO DE LA ESTACIÓN DE GASOLINA. Buenos días, señores. ¿ En qué les puedo servir ?

EL SEÑOR HERNÁNDEZ. Traemos una llanta picada y queremos que la componga. Mientras esperamos, ¿ nos puede revisar las otras llantas y ponernos treinta litros de gasolina ?

EL EMPLEADO. Muy bien, señor. ¿ Quiere Ud. que yo limpie el parabrisas ?

EL SEÑOR HERNÁNDEZ. Sí, joven, y también hágame el favor de revisar el aceite y el agua.

B.

El mecánico del garage comienza a revisar un automóvil que había chocado con otro.

Todos los vidrios están rotos; hay que comprar nuevos. La rueda delantera del lado derecho se había hecho pedazos contra la banqueta; será necesario comprar una nueva. El techo está todo abollado. El motor está suelto (flojo) a causa del golpe. Hay que llenar de agua destilada el acumulador. Las bujías sí están en su lugar, pero será necesario conectar algunos alambres. El eje delantero está torcido por el mismo golpe que quebró la rueda. El árbol del volante está chueco (torcido).

Después de enterarse de la condición del auto, el mecánico

lo amarró con una cadena grande a un camión para remolcarlo al garage.

Vocabulario adicional

posterior *back*	fallar *to miss* (said of a motor)
el cobre *copper*	el hule (caucho) *rubber*
el foco eléctrico *light globe*	el tanque *tank*
el metal *metal*	la madera *wood*

I. Contéstense las siguientes preguntas:

1. ¿ Está rota la rueda posterior ? 2. ¿ Qué líquido se pone en un acumulador ? 3. ¿ Están rotos los focos eléctricos ? 4. ¿ De qué metal son los alambres que conectan el acumulador con el motor ? 5. ¿ Son de madera o de metal las placas de la licencia ? 6. ¿ Quién va a hacer las reparaciones ? 7. ¿ Cómo trajeron el automóvil al garage ? 8. ¿ Cuáles son las dos palabras castellanas que significan « crooked » ? 9. ¿ Qué parte del auto está abollada ? 10. ¿ Cree Ud. que pueda andar este coche después de ser compuesto ?

II. Aprenda de memoria el papel de uno de los personajes para representarlo con otros delante de la clase.

III. Traduzca al español:

In a filling station a young man checks the oil, the tires, and the water. Then he fills the gasoline tank. Then he cleans the windshield and the windows. Sometimes he sweeps the floor of the car with a little broom.

8

AVISOS EN LOS CAMINOS O EN OTRAS PARTES

A. En la carretera

PRECAUCIÓN	CAUTION
CRUCE DE CAMINOS	CROSSROADS
CURVA	CURVE
REVISIÓN FISCAL: MODERE SU VELOCIDAD	CUSTOMS INSPECTION — SLOW DOWN
PELIGRO	DANGER
DESVIACIÓN	DETOUR
PRINCIPIA DESVIACIÓN A 100 (cien) METROS	DETOUR BEGINS AT 100 METERS (300 ft.)
COLUMPIO	DIP
VADO	DIP
CURVA INVERSA	DOUBLE CURVE; ZIGZAG; S CURVE
BAJADA: FRENE CON EL MOTOR	DOWN HILL — SECOND GEAR
BAJADA: CAMBIE DE VELOCIDAD	DOWN HILL — SHIFT GEARS
GASOLINA A 19¢ (diecinueve centavos) EL LITRO	GAS 19¢ A LITER
TOME SU DERECHA	KEEP TO THE RIGHT

CUIDADO CON EL TREN	LOOK OUT FOR TRAINS
VELOCIDAD MÁXIMA 80 (ochenta) KM POR H.	MAXIMUM SPEED 80 KILOMETERS (50 miles) PER HOUR
TRABAJADORES	MEN WORKING
PUENTE ANGOSTO	NARROW BRIDGE
CAMINO ANGOSTO	NARROW ROAD
NO SE ESTACIONE EN LA ZONA PAVIMENTADA	NO PARKING ON PAVEMENT
FIN DE PAVIMENTO	PAVEMENT ENDS
FC (FERROCARRIL)	RAILROAD
CAMINO EN REPARACIÓN	ROAD UNDER REPAIR
CODO	SHARP CURVE
CAMINO LATERAL	SIDE ROAD
DESPACIO	SLOW
ALTO	STOP; HALT
PARADA OBLIGATORIA	STOP
DERECHO	STRAIGHT AHEAD
PUENTE PROVISIONAL	TEMPORARY BRIDGE
POBLADO PRÓXIMO	TOWN NEAR
POBLADO PRÓXIMO: MODERE SU VELOCIDAD	TOWN NEAR: SLOW DOWN
DÉ LA VUELTA A LA DERECHA	TURN TO THE RIGHT
PASO INFERIOR	UNDERPASS
SUBIDA: CAMBIE DE VELOCIDAD	UPGRADE — SHIFT GEARS
CAMINO SINUOSO	WINDING ROAD

B. Miscelánea

SEA UD. BREVE	BE BRIEF
SALIDO EL DINERO, NO SE ADMITE RECLAMACIÓN	COUNT CHANGE BEFORE LEAVING WINDOW
PELIGRO	DANGER
ENTRADA	ENTRANCE
SALIDA	EXIT
SE PROHIBE LA ENTRADA A MENORES DE EDAD	MINORS NOT ADMITTED
NO SE ADMITE	NO ADMITTANCE
SE PROHIBE ESTACIONARSE EN ESTA CALLE	NO PARKING IN THIS BLOCK
SE PROHIBE FUMAR	NO SMOKING
SE PROHIBE ESCUPIR EN EL SUELO	NO SPITTING ON THE FLOOR
PÁGUESE AL ENTRAR	PAY AS YOU ENTER
FAVOR DE DESCUBRIRSE	PLEASE REMOVE YOUR HAT
SE PROHIBE ANUNCIAR	POST NO BILLS
ESCUELA	SCHOOL
ZONA ESCOLAR	SCHOOL ZONE
CUIDE SU PASO	WATCH YOUR STEP
CUIDADO CON LA PINTURA	WET PAINT

NOTE TO THE TEACHER: Since ability to read rapidly and comprehend instantly is the principal aim in teaching these signs and notices, it is suggested that flash cards be made with the Spanish only printed thereon and that rapid translation be required in the English idiom found on road signs and notices. If flash cards are not available, signs may be written in large letters on the blackboard and enclosed in boxes of the size and shape of the commonest signs found in the United States.

I. Escriba al dictado los avisos que el profesor lea.

Cruce de Caminos
Precaución
Curva
Cuidado con el tren
Alto
Tome su derecha

9

REPASO DE LAS LECCIONES 6–8

I. Escoja de la lista A y de la lista B las palabras del mismo significado:

A	B
to puncture	manejar
to stop	componer
to examine	aprehender
to arrest	picar
to collide	chocar
to tow *or* to drag	amarrar
to drive (*a car*)	remolcar
to tie *or* to fasten	revisar
to fix	parar

II. Escoja la palabra que no pertenezca a cada grupo:

1. el automóvil, el coche, el neumático, el camión, el ómnibus.
2. la rueda, el aceite, el agua, la gasolina, el aire.
3. la carretera, la calle, el camino, la avenida, el pavimento.
4. picado, reventado, abollado, empleado, quebrado.
5. sinuoso, angosto, lateral, despacio, pavimentado.
6. izquierdo, asiento, posterior, delantero, derecho.
7. el chofer, el hombre, el agente de tráfico, el pasajero, el mecánico.
8. el medidor, el estribo, el eje, el peligro, el freno.
9. la banqueta, el mango de la puerta, el medidor de velocidad, la palanca de velocidades, la defensa.
10. PELIGRO, CUIDADO, PRECAUCIÓN, DESVIACIÓN.

III. Escoja de la lista A y de la lista B las palabras relacionadas:

A	B
el parabrisas	vender
la llanta	el acumulador
la salpicadera	la luz
al por menor	el alambre
el chofer	Frene con el motor
el agua destilada	el vidrio
el foco	la licencia
las placas	manejar
las bujías	el metal
la bajada	el hule
la gasolina	el petróleo

IV. Escoja de la lista A y de la lista B los sinónimos:

A	B
de atrás	la rapidez
el hule	quebrado
la llanta	el neumático
la velocidad	compuesto
el vado	posterior
chueco	ALTO
roto	torcido
reparado	FC
PARADA	el columpio
CUIDADO CON EL TREN	el caucho

V. Dé lo contrario de las siguientes palabras:

1. la bajada
2. la entrada
3. vacío
4. descompuesto
5. prohibir
6. recto
7. suelto
8. el adulto
9. bajarse
10. rompible

10

FRASES DE CORTESÍA

A. En presentaciones

El señor Solís invitó a cenar a su casa al señor Pérez. Al llegar los dos a la casa, el señor Solís hizo las presentaciones de rigor. Le dijo a su esposa:

— Elena, tengo el gusto de presentarte al señor Pérez.

Al extender la señora la mano, dijo:

— Elena Zuloaga de Solís.

Al mismo tiempo el amigo dijo:
— Gustavo Pérez, para servir a Ud.
— Siéntense, por favor — dijo la señora de Solís.
— Voy a presentarle a los jóvenes de la familia — dijo el señor Solís.
Al entrar, cada uno dió la mano al huésped y dijo así:
— Susana Solís.
— Mucho gusto en conocerle — contestó el señor Pérez.
— Marta Solís.
— Mucho gusto en conocerle.
— Jorge Solís, a sus órdenes.
— Mucho gusto en conocerle.
Después de estas presentaciones, todos se sentaron para platicar un rato antes de que la criada los llamara al comedor.
El señor Pérez preguntó a la señora de Solís:
— ¿ Cómo está su mamá ? Yo la conocí bien cuando vivíamos en Chihuahua.
— Muy bien, gracias. Y su hermana, ¿ cómo está ? Tenga la bondad de saludarla de mi parte.
En esto la criada entró y dijo:
— Señora, la cena está servida.

B. En el despacho (la oficina)

1°. Buenos días (o buenas tardes o buenas noches).
2°. Buenos días.
1°. ¿ Quiere Ud. decirme si está el señor gerente ?
2°. Sí, señor (o señora o señorita), está. Siéntese, por favor. Tenga la bondad de escribir su nombre y su dirección en esta tarjeta.
2° (*De vuelta*). Está muy ocupado en este momento. Pero si quiere Ud. verlo, regrese Ud. a las cinco de la tarde.
1°. Muchas gracias. Volveré a la tarde. Adiós.
2°. Hasta las cinco (o hasta la tarde, hasta luego, etc.).

C. En el taxi

1ª. Llamemos un coche del sitio *20* (veinte) *Negro.* (*Habla por teléfono.*) ¡ Ojalá que no se tarde mucho! Aquí está ya.

2ª. ¿ Cuánto cuesta ir al hotel *América?*

EL CHOFER. Un tostón (50¢ = cincuenta centavos) la dejada (viaje).

2ª. Pero queremos parar un momento en la avenida Rosal, número 37 (treinta y siete).

EL CHOFER. Entonces, será un peso, señora.

2ª. Está bien.

EL CHOFER. Suban, por favor. (*Las dos subieron al coche.*)

D. En la calle

Un señor se acerca al gendarme de la esquina para hacerle esta pregunta:

— ¿ Me hace Ud. el favor de decirme dónde está el correo ?

— Con mucho gusto. Queda en la esquina de la calle Tacuba y de la avenida San Juan de Letrán. Siga Ud. adelante tres cuadras más o menos hasta llegar a aquel edificio blanco a la mano izquierda. Allí dé la vuelta a la izquierda y siga hasta llegar al correo.

E. En el baile

1er JOVEN. ¡ Qué bonitas se ven Marta y Adela!

2º JOVEN. Vamos a bailar con ellas.

(*Al acercarse los dos jóvenes, por supuesto, saludan primero a la tía de las señoritas.*)

LOS DOS. Buenas noches, señora. ¿ Cómo está Ud. ?

LA SEÑORA (*contesta a cada uno*). Muy bien, gracias. ¿ Y Ud. ?

1er JOVEN. Bien, gracias. (*A Marta.*) ¿ Bailamos ?
MARTA. Con mucho gusto.
2º JOVEN. ¿ Bailamos esta pieza, Adela ?
ADELA. Con mucho gusto. (*Las dos parejas salen a bailar.*)

F. Por teléfono

1º. ¿ Me permite usar el teléfono ? El mío está descompuesto.
2º. ¿ Cómo no ? Allí está detrás de la puerta.
1º. Muchas gracias, señor. (*Pasa a donde está el teléfono y coge la bocina.*)
LA CENTRAL. Dígame. (o ¿ Qué número ? o Listo.)
1º. 2–76–67 (dos, setenta y seis, sesenta y siete o dos, siete, seis, seis, siete).
LA CENTRAL. Está ocupado.
1º (*después de un rato*). 2–76–67.
4º. Bueno (listo).
1º. ¿ Quién habla ?
4º. Hablan de la casa del señor García.
1º. ¿ Está Manuel en casa ? (o ¿ Puedo hablar con Manuel ?)
4º. Pues, en este momento, no está aquí. Salió a la calle. Vuelve a las dos.
1º. Entonces ¿ puedo dejarle un recado ?
4º. Sí, señor. Con mucho gusto.
1º. Tenga la bondad de decirle que habló José Muñoz, y que quiero que me llame antes de las cinco. Es muy urgente.
4º. Muy bien, señor. ¿ Cuál es el número de su teléfono ?
1º. 3–55–15 (tres, cincuenta y cinco, quince o tres, cinco, cinco, uno, cinco). También está en el directorio. Muchas gracias. Adiós.
4º. De nada. Adiós.
1º (*al número 2*). Muchas gracias por el uso de su teléfono.

Vocabulario adicional

Con su permiso. *Excuse me.*
Dispénseme. *Excuse me.*
¿ Qué hubo ? *Hello!*
¡ Salud ! *Here's to your health!*
Perdóneme. *Pardon me.*
No hay de qué. *You're welcome.*

I. Contéstense las siguientes preguntas:

1. ¿ Cuánto es un tostón ? 2. ¿ Cómo saluda Ud. en español a un profesor ? 3. ¿ Cómo saluda Ud. en español a un compañero ? 4. ¿ Cuál es el nombre y la dirección de nuestra escuela ? 5. ¿ Le gusta a Ud. bailar ? 6. ¿ Qué se dice al coger la bocina del teléfono para contestarlo ? 7. ¿ A quién se acercó el señor para preguntar donde estaba el correo ? 8. ¿ Escribe Ud. con la mano derecha o con la izquierda ? 9. ¿ Qué hizo José cuando no encontró en casa a Manuel ? 10. ¿ Cómo se dice en español « You are welcome » ?

II. Aprenda de memoria el papel de uno de los personajes de cada escena anterior para representarlo con otros delante de la clase.

III. Traduzca al español:

1. Turn to the right. 2. Turn to the left. 3. Go straight ahead. 4. Please tell me what time it is. 5. The policeman is on the corner. 6. I want to go to 677 Piedras Street. 7. Where is the post office ? 8. It is on the corner three blocks ahead. 9. Go on. 10. Go on until coming to a white building on the right. 11. It costs fifty cents more or less. 12. Oh that the car may arrive at five P.M. ! 13. I am very busy right now. 14. We shall return in the afternoon. 15. Mrs. Solís held out her hand. 16. All sat down to talk a while. 17. The young people greeted the guest. 18. All sat down to eat supper. 19. I did not know her in Chihuahua. 20. My telephone is out of order.

11

LA CIUDAD DE PARÍS

La Ciudad de París es una casa grande donde se venden artículos de vestir para hombres, mujeres y niños. También se venden allí cosméticos, muebles, juguetes, libros, baúles, géneros y vajillas de cristal y de porcelana.

A. En la zapatería

EL DEPENDIENTE. Buenos días. ¿ Qué deseaba Ud., señora ?

LA SEÑORA. Buenos días. Quiero unos zapatos cafés, de tacón bajo y con traba (correa).

EL DEPENDIENTE. Siéntese, por favor. Voy a ver qué tamaño usa Ud.

LA SEÑORA. Me parece que uso el número 5A (cinco A). Tengo el pie chico.

EL DEPENDIENTE (*al medirlo*). Sí, señora. También angosto.

LA SEÑORA. Muéstreme unos de cabritilla. No los quiero de charol ni de piel de suecia.

EL DEPENDIENTE. Muy bien, señora. Un momentito. (*Él se retira para traer unos zapatos. Vuelve.*) Aquí tiene Ud. unos de precio módico. ¿ Quiere Ud. medírselos ?

LA SEÑORA. No, señor. Voy a medírmelos en casa.

EL DEPENDIENTE. ¿ Desea Ud. pagarlos al contado ?

LA SEÑORA. No, señor. Quiero cargarlos a mi cuenta.

Vocabulario adicional

las botas *boots*	las medias *hose*
la hebilla *buckle*	la zapatilla *pump, shoe*
las ligas *garters*	los calcetines *socks*

B. En el departamento de ropa para mujeres

1ª SEÑORA. Necesito un vestido de seda negro.

2ª SEÑORA. ¿Le gustan a Ud. las faldas anchas y voladas, Ana, o angostas y derechas?

1ª SEÑORA. Me gustan las faldas sencillas y no muy cortas y las mangas largas.

2ª SEÑORA. Como tengo el cuello chico, no puedo usar vestidos de cuello alto.

LA EMPLEADA (*se acerca y les dice*): ¿Qué deseaban Uds., señoras?

1ª SEÑORA. Busco un traje de calle negro, de falda angosta, mangas largas y cuello alto.

LA EMPLEADA. ¿De seda o de lana, señora? ¿Y de qué precio, más o menos, y de qué tamaño?

1ª SEÑORA. De seda y de unos quince dólares. Uso talla 36 (treinta y seis).

2ª SEÑORA. Y muéstreme a la vez un vestido de baile (traje de noche) verde esmeralda.

LA EMPLEADA. ¿De tul, de terciopelo, de raso o de crepé, señora?

2ª SEÑORA. De cualquiera tela.

LA EMPLEADA. Muy bien, señoras. Háganme el favor de sentarse. Vuelvo en seguida. (*Acerca dos sillas para que se sienten las señoras, y se retira. Después vuelve con varios vestidos.*) Aquí les traigo éstos. Son de la última moda. Éste negro es muy elegante. Éste verde tiene muy buenas líneas y la hará verse muy delgada.

2ª SEÑORA. Yo me mediré el vestido verde. Quiero verme delgada.

(*Las señoras compran estos dos vestidos y pasan al departamento de ropa para niños a comprar blusas, camisas y pantalones para sus hijos.*)

Vocabulario adicional

el vestido (traje) de baño *bathing suit*
el cinto (cinturón) *belt*
el abrigo *coat, overcoat*
la faja *girdle, sash*
los guantes *gloves*
el pañuelo *handkerchief*
la chaqueta *jacket*
la camisa de dormir *nightgown*
la bolsa *purse*
el fondo *slip*
el vestido sastre *suit*

C. En el departamento de ropa para hombres

UN SEÑOR. Hágame el favor de enseñarme un sombrero gris.

EL EMPLEADO. ¿Qué clase de sombrero deseaba Ud., señor?

EL SEÑOR. Busco un sombrero de ala angosta y de copa alta, no muy caro ni tampoco muy barato.

EL EMPLEADO. De precio regular entonces. Tenemos un surtido grande que acaba de llegar.

EL SEÑOR (*midiéndose algunos*). Éste de fieltro gris con la cinta azul marino me gusta muchísimo.

EL EMPLEADO. Tenemos en venta especial todos los sombreros de paja y estas cachuchas (gorras). Están muy rebajados. ¿Quiere Ud. comprar uno para el verano entrante?

EL SEÑOR. No, gracias. Voy a llevar solamente el de fieltro.

EL EMPLEADO (*después de un rato*). Aquí está su paquete. Muchas gracias.

EL SEÑOR. A Ud.

Vocabulario adicional

la americana (saco) *coat* (of a suit)
el puño *cuff, fist*
las pijamas *pajamas*
el bolsillo *pocket*
los calzoncillos *shorts*
el traje *suit*
los tirantes *suspenders*
el sweater *sweater*
la corbata *tie*
el smoking *tuxedo*
el chaleco *vest*
la cartera *wallet*

I. Contéstense las siguientes preguntas:

1. ¿ Le gusta a Ud. cargar a la cuenta o pagarlo todo al contado? 2. ¿ Qué le parecen a Ud. los tacones muy altos? 3. ¿ Le gusta a Ud. medirse los zapatos en la zapatería? 4. ¿ Le gusta a Ud. llevar los paquetes a casa? 5. ¿ Cuáles están de moda ahora — los sombreros de paja o los sombreros de fieltro? 6. Por lo general, ¿ usan los muchachos smoking o saco en los bailes de la escuela? 7. ¿ Le gustan a Ud. los guantes de cabritilla o de piel de suecia? 8. ¿ Usa su papá tirantes o cinto? 9. ¿ Qué dice una persona de habla española en una presentación? 10. ¿ Quién envuelve en papel las compras del cliente?

II. Aprenda de memoria el papel de uno de los personajes de cada escena para representarlo con otros delante de la clase.

III. Cuando la profesora describa en español la ropa de una persona de la clase, trate de adivinar quien trae esa ropa.

12

REPASO DE LAS LECCIONES 10-11

I. Traduzca las siguientes frases al español y apréndalas de memoria:

1. El dependiente al cliente:
   (*a*) What did you wish?
   (*b*) What size do you wear?
   (*c*) What color do you prefer?
   (*d*) What price did you want to pay?
   (*e*) How many do you want?

2. La cliente al dependiente:
   (*a*) Please show me some high-heeled black slippers.
   (*b*) What size is this blouse?
   (*c*) How much does it cost?
   (*d*) Don't you have it in another color?
   (*e*) Show it to me in velvet.
   (*f*) Have you some larger ones?
   (*g*) I want to charge it and take it with me.

3. Un joven a una joven:
   (*a*) Shall we dance?
   (*b*) Thank you very much.
   (*c*) Would you like some refreshments (*los refrescos*)?
   (*d*) May I get your coat?
   (*e*) May I take you home?

4. Un señor en una oficina:
   (*a*) May I see Mr. Barrios?
   (*b*) When will he be here?
   (*c*) Please give him this card.
   (*d*) Please give him this message (*el recado*).
   (*e*) Good morning, Mr. Barrios; how are you today?
   (*f*) I want to show you some samples (*las muestras*).

5. En la calle:
   (*a*) Excuse me (*dispénseme*), sir, please tell me where the Reforma Hotel is.

(*b*) Excuse me, sir, please tell me what streetcar I ought to take to get to this address.

(*c*) I want to go downtown. How much do you charge?

II. Conteste en español cada una de las preguntas del ejercicio I.

III. Escoja la palabra que no pertenezca a cada grupo:

1. el terciopelo, la cabritilla, la lana, el lino, el raso.
2. el gerente, el gendarme, el dependiente, el correo, el cliente.
3. el centro, el hotel, el correo, la tienda, la estación.
4. la calle, la avenida, el parque, la cuadra, la izquierda.
5. el sombrero, el abrigo, el bolsillo, el guante, el zapato.
6. el rato, el momento, la hora, el tostón, la vez.
7. el charol, el tamaño, el fieltro, la paja, la seda.
8. barato, caro, módico, rebajado, cuello.
9. las vajillas, los cosméticos, los muebles, los dependientes, los juguetes.
10. al por menor, cargado, venta, al contado, al por mayor.

IV. Dé lo contrario de las siguientes frases, y tradúzcalas al inglés:

1. zapatos de tacón alto
2. medias gruesas
3. falda ancha
4. blusa larga
5. manga corta
6. sombrero de copa alta
7. sombrero de ala ancha
8. de color obscuro
9. vestido de noche
10. para hombres

V. Dé en español las siguientes expresiones de cortesía:

1. with pleasure
2. thank you
3. you're welcome
4. excuse me (2 ways)
5. pardon me
6. please (4 ways) tell me
7. good morning
8. good afternoon
9. good evening
10. good-bye (3 ways)

13

OTRAS TIENDAS

A. En la joyería

UN JOVEN. No sé si a Elisa le gustan las joyas de plata, de platino o de oro.

SU HERMANA. Pues ¿ quién sabe ? A ver qué nos enseña el joyero.

EL JOYERO. ¿ En qué les puedo servir ?

LA HERMANA. Hágame el favor de enseñarnos algún objeto de regalo para una joven. Algo bonito. Es para su novia.

EL JOYERO (*sacando un muestrario de brazaletes [pulseras]*). Aquí tienen estas preciosas pulseras. Verán Uds. que son anchas porque así se usan este año.

EL JOVEN. ¿Qué piedra es ésta azul?

EL JOYERO. Es una turquesa. ¿Prefiere Ud. una amatista, un ópalo o una aguamarina?

LA HERMANA. Ésta con topacios está muy de moda, ¿verdad? Pero enséñenos aretes (arracadas) y broches (prendedores).

EL JOYERO. Aquí tiene Ud. este juego de aretes y anillo (sortija) con perlas y brillantes.

EL JOVEN. Mejor compraremos uno de esos collares que se usan tanto ahora.

LA HERMANA (*después de examinar todo el surtido cuidadosamente*). Escojamos éste de cuentas doradas con adorno de rubíes.

EL JOVEN. ¿De qué precio es?

EL JOYERO. De 40 (cuarenta) pesos.

EL JOVEN. Entonces lo llevo. Hágame el favor de envolverlo como regalo.

Vocabulario adicional

el reloj *clock, watch*
el diamante *diamond*
la esmeralda *emerald*
la cadena de oro *gold chain*
los anteojos (los lentes) *eyeglasses*
el marfil *ivory*
el mármol *marble*
la navaja *pocket knife*
el zafiro *sapphire*
el marco de plata *silver picture frame*

B. En la droguería (botica, farmacia)

EL DROGUERO (BOTICARIO). ¿Qué deseaba, señor?

EL SEÑOR. Quiero una cajita de aspirinas para este catarro que tengo.

EL DROGUERO. Muy bien, señor. ¿No quiere también un tubo de mentolato?

EL SEÑOR. Sí, y también quiero crema *Azul* para rasurarse (afeitarse), crema para asentar el pelo, hojas *Murillo* para rasurar y una botella de yodo.

EL DROGUERO. Lo siento, señor, pero no tenemos hojas *Murillo.* Tenemos hojas *Turín* que son muy buenas.

EL SEÑOR. Muy bien.

EL DROGUERO. ¿ Qué más, señor ?

EL SEÑOR. Nada más, gracias. ¿ Cuánto es ?

EL DROGUERO. $1.48 (un dólar cuarenta y ocho centavos). (*El señor paga la cuenta y sale con sus compras.*)

EL BOTICARIO. ¿ En qué le puedo servir, señora ?

LA SEÑORA. Necesito una botella de aceite de castor y una docena de cápsulas de quinina.

EL BOTICARIO. Muy bien, señora. Aquí están. ¿ Qué más ?

LA SEÑORA. Quiero una cajita de píldoras de la vitamina *B* (be).

EL BOTICARIO. Muy bien, señora. Aquí la tiene Ud. ¿ Qué más ?

LA SEÑORA. Un frasco (botella) de tamaño mediano de loción *Carmen.*

EL BOTICARIO. Lo siento, señora, pero no tenemos un frasco de tamaño mediano. ¿ Le gusta a Ud. un frasco grande ?

LA SEÑORA. No, señor. Muchas gracias. Hágame el favor de cargármelos a la cuenta y mandármelos a casa.

EL BOTICARIO. ¿ Su nombre y su dirección, señora ?

LA SEÑORA. Guadalupe García de Mendoza. Avenida Ocampo #389 (trescientos ochenta y nueve).

Vocabulario adicional

el alcoholado *bay rum*
el jarabe para la tos *cough syrup*
la sal Epsom *Epsom salts*
las gotas para los ojos *eye drops*
la bolsa de hule para agua caliente *hot-water bag*
el linimento *liniment*
el algodón esterilizado *medicated cotton*
la receta *prescription*
la pomada *salve*
el tónico *tonic*

el cepillo de dientes *toothbrush*
la pasta para los dientes *tooth paste*
el polvo para los dientes *tooth powder*
la vaselina *vaseline*

C. *En la ferretería*

EL FERRETERO. Buenos días, señor. ¿ En qué le puedo servir ?

EL SEÑOR. Buenos días. Busco un martillo, unos clavos y una cajita de tachuelas. Tengo que poner otra tela de alambre en la puerta de la cocina de mi casa.

EL FERRETERO. Aquí están, señor. ¿ Y qué más ?

EL SEÑOR. Traigo el abanico eléctrico. Necesita un perno y una tuerca aquí. ¿ Tiene Ud. un perno del tamaño de este agujero ?

EL FERRETERO. Sí, señor. Espere un momento. Tengo que subir esta escalera y sacar uno del cajón de arriba. (*Sube y baja con el perno y la tuerca.*) Aquí están, señor. ¿ Y qué más ?

EL SEÑOR. Nada más, gracias. ¿ Cuánto le debo ?

EL FERRETERO. $3.10 (tres dólares diez centavos). Voy a envolverlos. (*El señor le paga y sale con sus compras.*)

Vocabulario adicional

el barril *barrel*
el balde (cubo) *bucket*
el sacacorchos *corkscrew*
el calentador *heater*
la llave inglesa *monkey wrench*
las balanzas *scales*
la regadera (el surtidor) *sprinkler*
la tablilla de lavandera (tabla de lavar) *washboard*
la tina de lavar *washtub*

EL FERRETERO (*a otra cliente*). Buenos días, señorita. ¿ Qué deseaba ?

LA SEÑORITA. Quiero un candado para mi bicicleta.

EL FERRETERO. Tenemos candados muy fuertes con una cadena de hierro y con dos llaves. (*Se los muestra.*)

LA SEÑORITA. ¿ Cuánto cuesta éste, señor ?

EL FERRETERO. $1.75 (un dólar setenta y cinco centavos).

LA SEÑORITA. Pues, señor, éste me gusta, pero no tengo más de un dólar. Voy a buscar a mi papá para pedirle prestado el dinero necesario. (*Sale la señorita.*)

Vocabulario adicional

el llavero *key ring*
la motocicleta *motorcycle*
la bomba *pump*
la percha *rack*
la soga (el mecate) *rope*
el destornillador (el desarmador) *screwdriver*
la cinta de medir *tape measure*

EL FERRETERO (*saludando a otro cliente*). Buenos días, señor. ¿ En qué le puedo servir ?

EL CARPINTERO. Quiero un serrucho y un cepillo.

EL FERRETERO. Pase Ud. por aquí, señor. Tenemos un surtido completo de serruchos y cepillos de todos tamaños. Aquí están para que escoja.

EL CARPINTERO (*después de probar algunos en las tablas que el ferretero le da*). Pues, no me gusta ninguno, señor.

EL FERRETERO. Lo siento mucho, señor. ¿ Qué más quiere ?

EL CARPINTERO. Déme un bote de barniz *Borda* y una brocha pequeña.

EL FERRETERO. Muy bien. Aquí los tiene Ud. ¿ Qué más ?

EL CARPINTERO. Nada más. Hágame el favor de cargármelos a la cuenta.

Vocabulario adicional

el cartucho *cartridge*
la lima *file*
la bisagra (el gozne) *hinge*
la perilla *knob*
los alicates (las tenacillas) *pliers*
el rastrillo *rake*
el revólver *revolver*
la pala *shovel*

D. En la tienda de géneros

Va a haber una venta especial en el departamento de géneros de la Casa Dorada. La señora Pérez y su hija mayor, Evelina, quieren aprovecharse de los precios reducidos. En el anuncio del periódico de la mañana leyeron que había lonas para toldos de todos colores. También necesitaban tela de camisa para los muchachos, paño para una falda y unas telas de seda para blusas, ropa interior y vestidos.

El dependiente. ¿ Qué desean Uds. ?

La señora. Queremos ver unas lonas rayadas de distintos colores.

La hija. Vamos a mandar hacer unos toldos para las ventanas que dan al sur. A mí me gustarían de un solo color.

El dependiente. Tenemos una ganga en toldos ya hechos de un solo color, señorita, con flecos multicolores. (*Se los enseña.*)

La hija. ¡ Qué bonitos ! ¿ Los llevamos, mamá ?

La señora. Sí, hija, y ahora a ver la tela para las camisas.

El dependiente. ¿ Cómo la quiere, señora ? ¿ Tela lisa, rayada, con dibujo de cuadritos o con otros dibujos ?

La señora. Mi esposo prefiere camisas de tela lisa, pero a los muchachos les gusta la tela de dibujos grandes de colores fuertes.

El dependiente. Muy bien. De todo tenemos. Aquí están para que escoja. (*La señora compra dos metros de varias telas.*)

La hija (*que estaba revisando las telas para faldas*). Mire, mamá, ¡ qué paños tan finos ! No son muy gruesos y son muy baratos.

El dependiente. Son de un metro de ancho y de pura lana, señora, recién llegados de Escocia. Son de los más finos que hay.

La señora. Ya es tarde y tenemos que ir a comer. Mañana vendremos a escogerlos.

Vocabulario adicional

el paño fino *broadcloth*
la franela *flannel*
la gabardina *gabardine*
el rayón *rayon*
la sarga *serge*
el paño de lana de varios colores *tweed*

I. Contéstense las siguientes preguntas:

1. ¿ Prefiere Ud. pasta dental o polvo para los dientes ? 2. ¿ En qué clase de tienda se hacen recetas ? 3. ¿ Usa Ud. anteojos para leer ? 4. ¿ Cuál de las piedras preciosas es más hermosa, en su opinión ? 5. ¿ Qué tela es mejor para un clima caluroso ? 6. ¿ Cuál es mejor para un clima frío ? 7. ¿ Cuál es más largo: un metro o una yarda ? 8. ¿ Qué dice un dependiente al acercarse a un cliente que entra en la tienda ? 9. Por lo general, ¿ qué joya prefieren las señoritas para el anillo de compromiso ? 10. ¿ Qué cosa se necesita para abrir un candado ?

II. Aprenda de memoria el papel de uno de los personajes de cada escena para representarlo con otros delante de la clase.

III. Traduzca las siguientes frases al español:

1. Please fix the bicycle. 2. There is a sale of silk today. 3. What fine shirts ! 4. This pump is out of order. 5. The sprinkler is in the basement. 6. I need a toothbrush. 7. I am going to pay cash. 8. It is medium-sized. 9. This material is all wool and a meter wide. 10. I am going to have a coat made.

14

UNA CASA

Una casa de tamaño regular tiene por lo general seis o siete piezas.

A. El pasillo

Se entra primero en un pasillo si es casa de estilo americano. En el pasillo se ven una lámpara de pie, una mesita para el teléfono, el teléfono mismo, un espejo en la pared y un tapete en el piso.

Traduzca al español:

1. a blue velvet rug
2. a white floor lamp
3. a telephone out of order
4. a narrow hall

5. the flowered curtains
6. a mirror with a gilt frame
7. a five-room house
8. a Spanish-style house

B. La sala

Después se pasa a la sala, una pieza grande. Aquí se ven una chimenea, algunos retratos y pinturas en las paredes, celosías y cortinas en las ventanas, una alfombra, un sofá, unos sillones, un piano y algunas mesitas. Sobre el tablero de la chimenea hay dos preciosos floreros de Sevres llenos de rosas. Construidos en una pared cerca de la chimenea hay unos tableros para libros y bric a brac.

Traduzca al español:

1. on the living-room wall
2. behind the mirror
3. in front of the fireplace
4. a small sofa
5. an electric heater
6. over the fireplace
7. the porcelain vases
8. the back wall

C. El comedor

Una puerta de la sala da al comedor. En el centro está una mesa grande de forma rectangular. Alrededor de la mesa están ocho sillas. Encima del aparador hay un juego de té hecho de plata. Hay una cristalera en donde se ven copas y vasos de todos tamaños y un juego de tacitas para café negro. Todos los muebles del comedor son de caoba. La alfombra es azul marino.

Traduzca al español:

1. on top of the buffet
2. a round mahogany table
3. the walnut china cabinet
4. a silver tea set
5. near the window
6. between the hall and the din ing room
7. a mahogany bed

D. *La alacena*

Una puerta del comedor da a una alacena pequeña. En la alacena hay varios tableros con trastes, vasos, latas y floreros. Debajo de los tableros hay muchos cajones de varios tamaños. Dentro de los de abajo hay manteles de lino con sus servilletas. Hay uno o dos manteles finos de encaje para fiestas. En los cajones de arriba se guardan los cubiertos de uso diario. En los cajones de en medio están los trapos grandes y chicos para la limpieza de los muebles, los trastes y la batería de cocina.

Traduzca al español:

1. in the top drawer
2. a bar of soap
3. the cooking utensils
4. a lace tablecloth
5. on the lower shelf
6. many cans of soup
7. a dozen clean linen napkins
8. the middle drawers

E. *La cocina*

De la alacena se pasa a la cocina. El piso de la cocina no es de mosaico; es de madera y por eso está cubierto de linóleo. A un lado está el refrigerador eléctrico; a otro lado está la estufa de gas con su horno grande. La estufa es de esmalte blanco. Debajo de la ventana alta se encuentra el lavadero con llaves para agua caliente y agua fría. En el centro se ve una mesa con bancos. La batería de cocina se guarda en tableros y cajones a los dos lados del lavadero. (Véase la lección IV.)

Traduzca al español:

1. a stool for the kitchen
2. under the kitchen sink
3. the knives and forks for everyday use
4. the hot-water faucet
5. between the sink and the door
6. beside the stove

F. La recámara (alcoba)

Al otro lado de la casa están las recámaras. En una de ellas se ven un par de camas iguales, un tocador con su banco, una cómoda, un escritorio, una « chaise-longue » de mimbres con muchos cojines de seda. En la puerta del guardarropa hay un espejo del tamaño de la puerta. En las ventanas hay persianas y cortinas. En la otra recámara hay una cama ancha y los mismos muebles que en la primera alcoba. El juego de la primera recámara es de nogal fino; el de la segunda es de roble americano.

Traduzca al español:

1. an oak bedroom suite
2. a walnut dressing table with a round mirror
3. the red silk cushions
4. above the chest of drawers
5. under the bed
6. between the twin beds
7. of American oak

G. El cuarto de baño

En el cuarto de baño el piso y las paredes, hasta la mitad, son de mosaico azul y blanco. La tina de baño, el lavamanos y el excusado (inodoro, W. C.) son de esmalte azul. En cada varilla hay una toalla de baño, una toalla de manos y una toallita para cada miembro de la familia. Hay dos jaboneras con jabón de tocador. También hay un baño de regadera con una cortina de hule. En la pared, encima del lavamanos, está el botiquín que tiene un espejito en la puerta.

Esta casa no es de dos pisos. Por eso no hay escalera sino la que conduce al subterráneo.

Traduzca al español:

1. inside of the medicine cabinet
2. a dozen hand towels
3. a yellow tiled floor
4. a wet washcloth
5. two large bath towels
6. a white enamel toilet
7. around the bathtub
8. the lower step of the stairs

I. Contéstense las siguientes preguntas:

1. ¿ Son de madera o de metal las sillas de la sala de clase ? 2. ¿ Hay cortinas, persianas o celosías en las ventanas de la sala de clase ? 3. ¿ Qué clase de estufa se usa en su casa: estufa de gas, estufa eléctrica o estufa en que se quema leña o carbón ? 4. ¿ Cuál es más grande, una alfombra o un tapete ? 5. ¿ En dónde se guardan los manteles y las servilletas ? 6. ¿ Qué hay en los cajones de una cocina ? 7. ¿ Qué se encuentra en los tableros de una despensa o de una alacena ? 8. ¿ Qué clase de madera para muebles prefiere Ud. ? 9. ¿ Prefiere Ud. linóleo o mosaico para el piso de la cocina ? 10. ¿ Cuántas llaves para agua se encuentran en el lavadero, por lo general ?

NOTE TO THE TEACHER: As the house described has seven rooms, divide the class into seven groups so that each group may collect pictures in color of the things described in one room. When the pictures that most accurately describe the rooms are collected, they should be pasted on large pieces of cardboard and described by the students in Spanish. The location of each piece of furniture should also be stated. The class should be divided into small groups and each group pass from picture to picture until all rooms have been talked about by each student.

II. Traduzca al español, siguiendo los ejemplos ya escritos:

1. It is (made of) silk.
   (*Es de seda.*)
2. They are (made of) rubber.
   (*Son de hule.*)
3. It is medium-priced.
   (*Es de precio módico.*)
4. It is mahogany.
5. It is cotton.
6. It is tiled.
7. It is metal.
8. It is wooden.
9. It is oak.
10. It is small-sized.
11. They are walnut.
12. They are glass.
13. They are satin.
14. They are leather.
15. They are low-priced.
16. They are china.
17. They are enamel.
18. They are wicker.
19. They are kid.

20. They are copper.
21. They are large-sized.
22. They are iron.
23. They are wool.
24. They are paper.
25. They are high-priced.

15

REPASO DE LAS LECCIONES 13–14

I. Escoja la palabra que no pertenezca a cada grupo:

1. la droguería, la batería, la zapatería, la joyería, la ferretería.
2. la toalla, el mantel, la servilleta, el trapo, el florero.
3. el topacio, el rubí, el reloj, el diamante, el zafiro.
4. la varilla, el anillo, la pulsera, el collar, el arete.
5. el mimbre, la caoba, el nogal, la madera, el roble.
6. la crema, el jarabe, la receta, el yodo, la aspirina.
7. la seda, el lino, el algodón, el cojín, la lana.
8. el gancho, la varilla, la alfombra, el cajón, el tablero.
9. el comedor, el tocador, la recámara, la sala, la cocina.
10. con dibujo floreado, con dibujo de cuadritos, rayado, género liso.

II. Escoja de la lista A y de la lista B las palabras relacionadas:

A	B
el juego de recámara	el hierro
la copa	el cuero
el martillo	el cristal
el juego de té	el mosaico
el mantel	el roble
los zapatos	el encaje
el piso	el esmalte
el lavamanos	la plata

A	B
la navaja	leer
los anteojos	colgar
la pasta para los dientes	dormir
el vaso	cocinar
el gancho	guardar
el horno	limpiar
la cama	secar
el cajón	rasurarse
la toalla	beber

III. Complete las siguientes frases:

1. Se corta la madera con un ——. 2. Se mira una persona en un ——. 3. Para bañarse se pone agua en una ——. 4. Se lavan las manos en un ——. 5. Se vende la tela por una medida llamada el ——. 6. Se sube al segundo piso de un edificio por una ——. 7. En el piso de la sala de una casa particular se encuentra una ——. 8. Se hacen los anteojos de ——. 9. Se guardan las medicinas en un ——. 10. Para desinfectar una herida se puede aplicar una medicina llamada ——. 11. « Padlock » quiere decir en español el ——. 12. « Toilet » o « water closet » quiere decir en español ——. 13. « Key ring » quiere decir en español ——. 14. Con un mantel se venden, por lo general, unas ——. 15. Se bebe café en una vasija llamada una ——.

16

EL CUERPO HUMANO

Las partes principales del cuerpo humano son: la cabeza, el tronco y las extremidades.

En la cabeza se pueden distinguir: el cráneo, cubierto de cabello (pelo), la frente, las cejas, los ojos, las pestañas, las orejas, las mejillas, la nariz, la boca, los labios, los dientes, la lengua y la barba.

El cuello está entre la cabeza y el tronco. Éste se compone de tórax y abdomen. El tórax tiene el pecho por delante, y la espalda por detrás. Los hombros están en la parte superior de la espalda. La cintura es la región más estrecha de la parte abdominal.

Las extremidades son los dos brazos y las dos piernas. En medio del brazo está el codo, y en la extremidad está la mano. La mano consta de cinco dedos con las uñas y la palma. El brazo y la mano se conectan por la muñeca. En medio de la pierna está la rodilla. El pie está al extremo inferior de la pierna. También hay dedos en los pies.

La familia Pérez presenta varios tipos. El padre es alto y muy delgado (flaco). Está calvo pero tiene las cejas muy pobladas y los bigotes muy negros. Es moreno.

Al contrario, la señora de Pérez es de estatura baja y muy gorda. Es chata y de ojos grandes y negros. Tiene una sonrisa muy amable y una dentadura perfecta. Es muy simpática, muy afable y muy bondadosa.

Jaime va a la escuela secundaria. Es alumno de segundo año y le encantan el fútbol y todos los deportes. Su mamá cree, a veces, que Jaime es muy mal educado porque es muy informal. No usa corbata. Lleva pantalones y sweater sucios. Nunca se ve aseado. Casi siempre cierra la puerta de golpe y sube la escalera corriendo sin saludar a las visitas de su mamá. Parece muy bárbaro, pero ¡ ojalá que llegue a ser persona decente en pocos años!

Rosa María es la hija de los señores Pérez. Es esbelta y muy linda. Es rubia (güera), y tiene los ojos azules. Lleva el pelo largo y rizado. Por eso no necesita hacerse ondulado permanente. Tiene la nariz aguileña y la boca chiquita. No es ruidosa ni alborotadora como su hermano Jaime, sino muy graciosa. Es muy bien educada, y aplicada en sus estudios. Siempre está interesada en las actividades de la escuela, y, aunque toma parte en ellas, nunca falta a clase. Como es muy simpática, recibe muchas invitaciones. A pesar de esto, saca muy buenas calificaciones en todas las materias (los estudios o las asignaturas) que cursa.

¿Hay alguien en su clase que se parezca a uno de estos jóvenes?

I. Contéstense las siguientes preguntas:

1. ¿ Es rubia o morena la profesora ? 2. ¿ Cómo es Ud., rubio o moreno ? 3. ¿ Qué palabra es más cortés para describir a una señora que pesa bastante: gruesa o gorda ? 4. ¿ Es bien educada la hija de la familia Pérez ? 5. ¿ Se ve aseado el hijo de la familia Pérez ? ¿ Y Ud. ? 6. ¿ Cómo lleva Ud. el pelo: largo o corto ? 7. ¿ Quién recibe más invitaciones: una persona simpática o una persona bárbara ? 8. ¿ Qué calificaciones saca Ud. en la clase de español ? 9. ¿ Usa Ud. pintura en las uñas de los dedos ? 10. ¿ Qué deporte le encanta a Ud. ?

II. Nómbrense las partes del cuerpo de una persona de la clase o de una fotografía al señalarlas.

III. Describa el carácter de alguna persona de la clase.

IV. Trate de adivinar de quien habla la profesora cuando describe a uno de los miembros de la clase en español.

17

EL MÉDICO

El consultorio del doctor Guillermo Jiménez Álvarez está en la calle Santa Fe, número 501 (quinientos uno). No es especialista. Practica medicina general y también es muy buen cirujano. Opera todas las mañanas en el hospital general de Albuquerque. Por la tarde recibe a sus clientes en su consultorio. El doctor va a la casa del enfermo cuando sea necesario, ya sea de día o de noche.

El doctor está dando consultas ahorita (ahora mismo). Algunas personas están esperando entrar.

A.

El doctor. Pase, señora.

La señora. Buenas tardes, doctor. Aquí traigo a mi Pepe que dice que le duele la garganta.

El doctor. Siéntese aquí, señora, y tú, Pepe, siéntate aquí. A ver esa garganta mala. Abre la boca y baja la lengua. Sí, sí, señora. Tiene las anginas muy inflamadas. Le voy a dar unos toques. Primero, ponte el termómetro y ten la boca bien cerrada.

Pepe (*muy consentido*). No quiero, mamá. No me gustan los termómetros.

La señora. No le hace, hijito. Es necesario obedecer al doctor.

El doctor. Sí, señora. Tiene medio grado de calentura. Que se acueste luego y que no tome más que líquidos. Hay que cuidarlo bien porque la garganta mala puede ser síntoma de tantas enfermedades en la niñez.

La señora. ¿ Será fiebre escarlatina, sarampión o difteria, doctor ?

El doctor. Yo creo que no, señora. Mañana pasaré a verlo.

La señora. Muy bien, doctor. Muchas gracias. Le esperamos mañana. Vámonos, Pepe. (*Salen del consultorio la señora y Pepe.*)

B.

El doctor. Pase Ud., señor Gómez. Voy a ponerle la segunda inyección contra la tifoidea, ¿ verdad ?

El señor Gómez. Sí, doctor. (*Ya puesta la inyección*), muchas gracias. ¿ Cuándo debo volver por la tercera ?

El doctor. De hoy en ocho días.

El señor Gómez. Muy bien, doctor, gracias. Adiós.

El doctor. Adiós. Hasta la semana entrante.

C.

El doctor. Pase Ud., joven. ¿Qué tiene? (¿Qué le pasa?)

El joven. Pues, tenía una ampollita en el talón del pie izquierdo. No le hice caso y, después de unos días, comenzó a dolerme mucho. Ahora tengo el talón muy inflamado.

El doctor. A ver lo que tiene. (*El doctor examina el talón.*) Hay que tener mucho cuidado. Esto puede resultar una cosa seria. Fíjese bien, para que Ud. se haga el mismo tratamiento en su casa. Voy a lavarle el pie con este jabón desinfectante; luego le voy a poner esta pomada curativa, a cubrir la llaga con algodón esterilizado y a vendar el talón. No se debe poner zapato. Use zapatilla (babucha o pantufla). Hágase este tratamiento todas las noches por unos cuatro días. Si no se alivia, vuelva a verme.

El joven. Seguiré sus instrucciones al pie de la letra. Muchas gracias.

Los dos. Hasta luego.

D.

El doctor. Pase Ud., señorita. ¿ Cómo sigue Ud.? ¿ Le ha vuelto la tos?

La señorita. No, doctor, gracias a Dios. Pero temo no estar curada de la tuberculosis y que me vuelvan las hemorragias.

El doctor. No, no, no, no, no, señorita. No se aflija. Si toma bastante sol, si come Ud. bien, si descansa cuatro o cinco horas al día, sin falta, va a seguir bien. Sin embargo, la examinaré. No tiene calentura. Tiene su pulso regular. Tiene muy buen semblante.

La señorita. Muchas gracias. Seguiré el mismo tratamiento.

Los dos. Hasta la próxima vez.

Vocabulario adicional

el dolor de espalda *backache*
las viruelas locas *chicken pox*
la punzada en el oído *earache*
el dolor de cabeza *headache*
el corazón *heart*
la indigestión *indigestion*
el paludismo *malaria*
la espinilla *pimple*
el reumatismo *rheumatism*
la sinusitis *sinus trouble*
la erupción *skin eruption, rash*
el dolor de estómago *stomach-ache*
el dolor de muelas *toothache*
el tifo *typhus fever*
la tos ferina *whooping cough*
la fiebre amarilla *yellow fever*

I. Contéstense las siguientes preguntas:

1. ¿ En qué parte del cuerpo está el corazón? 2. ¿ Dónde tenía el joven la ampollita? 3. ¿ Hay muchos enfermos de la fiebre amarilla en los Estados Unidos? 4. ¿ Está Ud. malo de la garganta

en este momento ? 5. ¿Tiene Ud. dolor de muelas ? ¿de cabeza ? 6. ¿Quienes sufren más del reumatismo: los ancianos o los jóvenes ? 7. Nombre Ud. tres enfermedades de la niñez. 8. ¿Cómo se llama la pieza en la cual recibe un médico a sus clientes ? 9. ¿A qué hora se acostó Ud. anoche ? 10. ¿Obedece Ud. las instrucciones del doctor cuando está Ud. enfermo ?

II. Aprenda de memoria el papel de uno de los personajes de cada escena para representarlo con otros delante de la clase.

III. Traduzca al español:

1. What is the matter with you ? 2. I don't want to. 3. It doesn't matter. 4. One must take good care of him. 5. Don't worry. 6. I shall follow your instructions to the letter. 7. How are you getting along ? 8. He practices general medicine. 9. The doctor will come by tomorrow. 10. I do not like this medicine.

18

EL HOSPITAL

En un choque hubo un muerto, tres heridos y un ileso. Llamaron a la ambulancia y llevaron a los heridos al hospital más cercano. Al muerto lo llevaron a la casa mortuoria.

EL AGENTE DE TRÁFICO. Señorita, aquí traemos tres heridos graves. (*El ileso acompañó a los heridos.*) Vamos a necesitar inmediatamente tres cuartos.

LA SEÑORITA. Muy bien. El doctor y las enfermeras están ya en la sala de operaciones. Mozos, lleven estas camillas al segundo piso a los cuartos números 207 (doscientos siete), 211 (doscientos once) y 213 (doscientos trece).

Después de una semana los enfermos estaban todavía en el hospital. Como se sentían mejor, se estaban poniendo necios. El doctor vino a visitarlos esta mañana y tuvo con ellos las siguientes conversaciones:

A.

EL DOCTOR. Buenos días, señorita Urías. ¿ Cómo sigue esta « niña » ?

LA ENFERMERA. Pues, bien, doctor, pero se queja mucho. Toca el timbre cada media hora. Siempre está diciéndome: « Arregle estas almohadas; tráigame un vaso de agua fría; suba las persianas; baje las ventanas; incline más la cama; incline menos la cama; quite una de las cobijas (mantas); póngame otra cobija que tengo frío; prenda la luz; apague la luz; tengo mucha hambre. » Al llegar la comida, « llévesela; no quiero comer nada. » En fin, doctor, está completamente aliviada.

EL DOCTOR. Entonces la mandaremos a casa mañana.

B.

EL DOCTOR. ¿ Cómo sigue este enfermo ?

LA ENFERMERA. La pierna quebrada le dolía tanto anoche que le tuve que poner una inyección de morfina para que durmiera. No siente dolor en la espalda; por eso, creo que las costillas fracturadas están bien. No tiene apetito. El yeso de la pierna le pesa mucho. Sin embargo no tiene calentura.

EL DOCTOR. Estos síntomas no me sorprenden. Estaba muy mal herido y necesita mucho tiempo para que suelden los huesos. Volveré a verlo mañana.

C.

EL DOCTOR (*especialista en pulmones*). ¿ Qué dice el enfermo ?

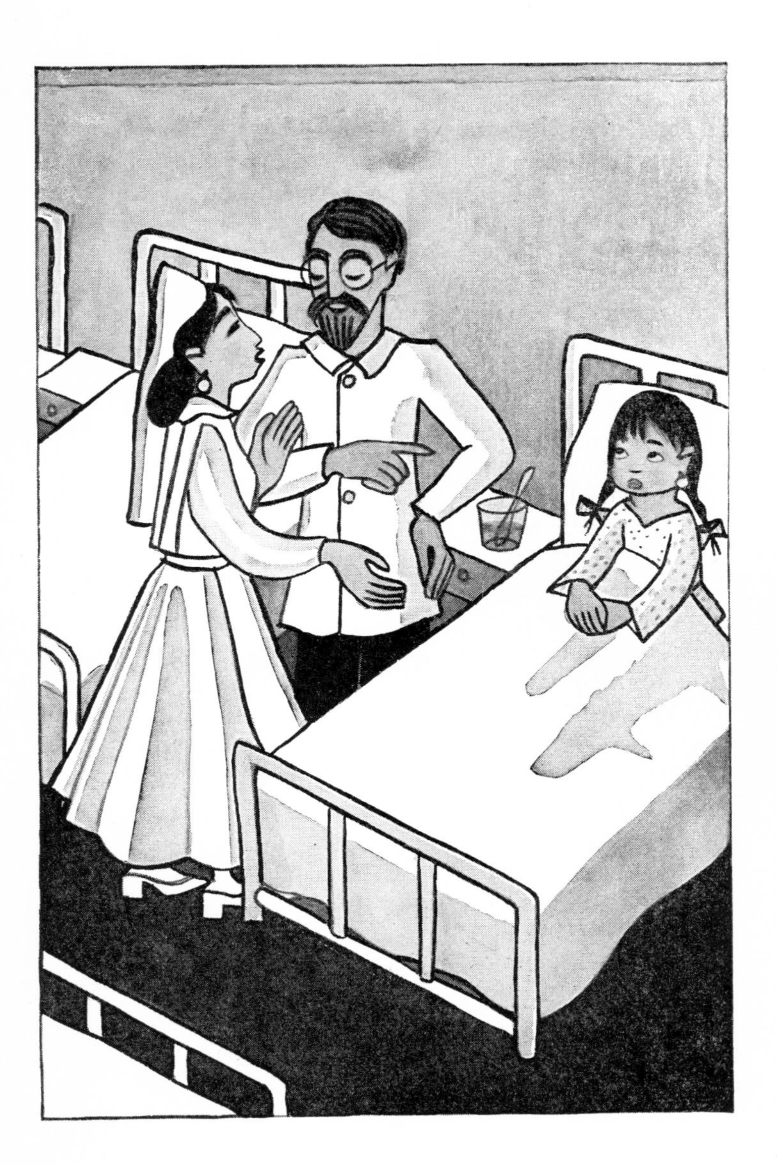

LA ENFERMERA. Está mejorando. Pasó buena noche. No se movió mucho.

EL DOCTOR. ¿ Tiene calentura ?

LA ENFERMERA. No ha tenido calentura por tres días, doctor. Come bien, descansa, y pasa varias horas en el patio soleado, tomando el sol y el aire puro. (*Se va la enfermera.*)

EL DOCTOR. Ya se puede ir a casa, señora Durán. Pero usted, como su mamá, debe seguir al pie de la letra las instrucciones que le voy a dar. La curación de la tuberculosis depende del descanso, de la buena alimentación, de bastantes horas al aire libre y de las visitas al doctor para ver si sigue la curación como debe.

LA SEÑORA DURÁN. ¿ Cuándo quiere que lo traiga para que le examine los pulmones ?

EL DOCTOR. Pues, cada tres meses, si continúa mejorando como esperamos.

LA SEÑORA DURÁN. ¿ Cuándo debo traer a María y a Juan para que les dé la tuberculina ?

EL DOCTOR. Pues, lo más pronto posible, señora, para ver si la reacción es positiva o negativa.

LA SEÑORA DURÁN. Muchas gracias, doctor.

LOS DOS. Adiós.

Vocabulario adicional

la sangre *blood*
toser *to cough*
la muleta *crutch*
meterse a la cama *to get into bed*
la pérdida de peso *loss of weight*
el estornudo *sneeze*
estornudar *to sneeze*
el esputo *sputum*

I. Contéstense las siguientes preguntas:

1. ¿ Cuántos heridos hubo en el choque descrito en esta lección ? 2. ¿ Cuántos muertos hubo ? 3. ¿ Cuántos ilesos hubo ? 4. ¿ Está de moda tomar el sol en un traje de baño ? 5. ¿ Debe seguir una

enfermera las instrucciones del doctor? 6. ¿A qué piso llevaron las camillas con los heridos del choque? 7. ¿Tiene Ud. hambre ahorita? 8. ¿Tiene Ud. frío? 9. ¿Tiene Ud. calor? 10. ¿Tiene Ud. sed?

II. Aprenda de memoria el papel de uno de los personajes de cada escena para representarlo con otros delante de la clase.

III. Traduzca al español:

1. Please fix the pillows. 2. Please ring the bell. 3. Please bring me a glass of water. 4. Please put another cover on this bed. 5. Please turn off the light. 6. He has no fever. 7. Do not complain. 8. I am going out into the open air. 9. I like to sun myself. 10. He is getting better.

19

REPASO DE LAS LECCIONES 16–17

I. Complete las siguientes frases con partes del cuerpo humano:

1. El cuerpo humano tiene solamente dos ——, dos ——, dos ——, dos —— y dos ——. 2. El cuerpo humano tiene solamente una ——, una ——, una ——, una —— y un ——. 3. Se ve con los ——. 4. Se oye con los ——. 5. Se toca con los ——. 6. Se baila con los ——. 7. Se habla con la ——. 8. Se escribe con la ——.

II. Escoja la palabra que no pertenezca a cada grupo:

1. la boca, los dientes, la rodilla, la lengua, los labios.
2. delgado, calvo, rubio, moreno, aseado.
3. la ceja, la pestaña, la cintura, el ojo, la frente.

4. la uña, la espalda, el dedo, la muñeca, la mano.
5. la pierna, la mejilla, la nariz, la barba, la cara.
6. el sarampión, la tuberculosis, la tos ferina, el tifo, el pulmón.
7. la tos, el paludismo, el estornudo, la hemorragia, el esputo.
8. muerto, herido, gordo, ileso, enfermo.
9. el pecho, el doctor, el especialista, el cirujano, el médico.

III. Escoja de la lista A y de la lista B las palabras relacionadas:

A	B
el hueso	la garganta
el termómetro	los labios
la hemorragia	la cobija
la angina	la morfina
la dentadura	el grado
la sonrisa	la muela
los ojos	la libra
la cama	las pestañas
la inyección	la costilla
el peso	la sangre

IV. Escoja de la lista A y de la lista B los sinónimos:

A	B
el tratamiento	la asignatura
la fiebre	la curación
el dolor	la pantufla
la materia	el consultorio
el paciente	la calentura
la zapatilla	el deporte
el cabello	el criado
el despacho	el pelo
el juego	el enfermo
el mozo	la punzada

20

LA COSTURA

La señora Ramírez y su hija, Josefina, van a la casa de la modista (la costurera) para que les haga un vestido nuevo y para que les componga (arregle) uno viejo.

A.

LA MODISTA. Buenos días, señora.

LA SEÑORA. ¿Cómo le va?

LA MODISTA. ¿Cómo está Ud., señorita?

LA SEÑORITA. Muy bien, gracias, ¿y Ud.?

LA MODISTA. Muy bien. Pasen Uds.

LA SEÑORA. Aquí traigo este vestido que quiero que me arregle. Tiene la falda demasiado larga; quiero que le suba el dobladillo (la bastilla).

LA MODISTA. ¿Cuántas pulgadas (o cuántos centímetros) se lo subo?

LA SEÑORA. Necesito medirme el vestido. Voy a ponérmelo.

LA MODISTA (*sentada en el piso*). Voy a doblárselo y prendérselo con alfileres para ver si le gusta.

LA SEÑORA (*pasando al espejo*). A ver. La falda está un poco larga todavía. Suba el dobladillo un poquito más.

LA MODISTA (*después de hacerlo*). Véase en el espejo. ¿Le gusta?

LA SEÑORA. Así está bien.

LA MODISTA (*a su ayudante*). Juanita, favor de traerme las tijeras y una aguja ensartada con hilo blanco grueso. Señora, voy a hilvanarlo antes de que Ud. se lo quite.

JUANITA. En la cajita no hay nada más que hilo delgado. Se acabó el hilo grueso ayer.

LA MODISTA. Ése está bueno.

Vocabulario adicional

el ojal *buttonhole*
grande *loose-fitting*
el plegado *pleat*
plegar *to pleat*
el volante fruncido *ruffle*
fruncir *to ruffle*
el carrete *spool*
la puntada *stitch*
entallado *tight-fitting*
la alforza (el recogido) *tuck*

B.

LA MODISTA. Ya terminé con su mamá. ¿Qué desea Ud., señorita?

LA SEÑORITA. Aquí traigo esta tela para que me haga un vestido de este patrón (molde).

LA MODISTA. ¡Qué tela tan bonita! ¡Qué tono de azul tan raro! Y estos botones de cristal color de rosa van muy bien con el azul.

LA SEÑORITA. ¿Cuándo vuelvo a medírmelo?

LA MODISTA. Mañana lo voy a cortar e hilvanar. No venga hasta el jueves porque la máquina de coser está descompuesta. Puedo coserlo en dos días y estará listo el sábado en la tarde.

LA SEÑORITA. No quiero nada de adornos más que los botones. Las líneas sencillas son las que hacen elegante el vestido.

LA MODISTA. ¿Quiere el cuello redondo o en forma de ve?

LA SEÑORITA. Los cuellos en forma de ve me sientan mejor.

Por favor, no haga las costuras anchas porque no me gustan.

LA MODISTA. No tenga cuidado, señorita. Así lo haré.
LA SEÑORITA. Nos vemos el jueves. ¿Verdad? Adiós.
LA MODISTA. Adiós, señorita. Adiós, señora.
LA SEÑORA. Adiós.

Vocabulario adicional

zurcir *to darn*
la solapa *lapel*
remendar *to mend*
el sastre *tailor*
la sastrería *tailor shop*
el dedal *thimble*

I. Contéstense las siguientes preguntas:

1. ¿Cuándo estará listo el vestido de la señorita? 2. ¿Qué adorno le va a poner la costurera al vestido de la señorita? 3. ¿Por qué va la modista a prender el dobladillo con alfileres? 4. ¿Qué hay que hacerle al vestido de la señora? 5. ¿Cómo quiere el cuello la señorita? 6. ¿Qué le pide la modista a su ayudante? 7. ¿Cuánto tiempo se tarda la modista para coser el vestido? 8. ¿Qué es lo que hace elegante el vestido?

II. Aprenda de memoria el papel de uno de los personajes para representarlo con otros delante de la clase.

III. Traduzca al español:

1. I want the dress with a V neck. 2. Can you make this dress by Saturday? 3. Let the dressmaker make the hem. 4. We like pleated skirts very much. 5. Short skirts fit me better. 6. Please bring me the scissors, the needle, the thread, and the pattern. 7. We ran out of buttons yesterday. 8. Perhaps the dressmaker has my coat ready. 9. Mother, please sew my dress. 10. I have here this blue material so that you can make a dress for me.

21

EN EL RESTAURANT

A.

EL JEFE DE LOS MESEROS (MOZOS). La familia Moreno va a comer aquí a las dos. Tenemos que poner una mesa con 20 (veinte) cubiertos. Quieren un comedor particular y todo el servicio especial.

EL 1er MESERO. Yo voy a limpiar los cuchillos, las cucharas y los tenedores del juego fino.

EL 2º MESERO. Yo voy a sacar un mantel grande y las servilletas.

EL JEFE. La señora Moreno ordenó las flores de la florería. Van a traerlas a la una y media.

EL 3er MESERO. Muy bien, las recibo yo. Entonces voy a bajar la vajilla: los platos para el pan, los platos grandes, los platos hondos, los platos para la ensalada, los platos para el postre (el dulce), las tazas y los platos para las tazas.

EL 4º MESERO. Yo me encargo de limpiar las copas para el agua.

EL JEFE. Entonces, con esto todo lo de la mesa estará arreglado.

Vocabulario adicional

la cafetera *coffee pot*
el pimentero *pepper shaker*
la jarra *pitcher*
el salero *salt shaker*
la azucarera *sugar bowl*
la tetera *teapot*

B.

EL JEFE (*a los meseros*). Allí vienen ya los señores Moreno a ver si todo está bien. (*A la señora.*) Buenas tardes, señora Moreno. ¿ Quiere revisar la mesa ?

LA SEÑORA. Sí. También hágame el favor de la lista. ¿ Por fin va a servir la sopa de espárragos en vez de la sopa de jitomate ?

EL JEFE. Sí, señora, porque vamos a servir ensalada de jitomate con mayonesa. El principio va a ser, como Ud. quería, filete con champiñones (setas), chícharos y papas fritas.

LA SEÑORA. Y el postre va a ser helado de vainilla con almíbar de chocolate y nueces. ¿ Verdad ?

EL JEFE. Sí, señora. ¿ Quiere que se sirva taza o media taza de café ?

LA SEÑORA. Depende; como quieran los invitados.

EL JEFE (*inclinándose respetuosamente*). Muy bien, señora.

Vocabulario adicional

el pastelito *cake* (individual)
la hojaldre *cake* (layer)
los huevos fritos *fried eggs*
los huevos revueltos *scrambled eggs*
los huevos pasados por agua *soft-boiled eggs*

la jalea *jelly*
la tortilla de huevo *omelet*
el pastel *pie*
el pan tostado *toast*

C.

Llegaron primero los señores Ruiz. Luego la señora Márquez, hermana de la señora Moreno, llegó con sus gemelos, Luis y Luisa. Después vinieron los hijos de los señores Moreno con su abuelo y su abuela. Al rato ya estaban todos los invitados reunidos y se sentaron a la mesa.

Vocabulario adicional

el cuñado, la cuñada *brother-in-law, sister-in-law*
el primo, la prima *cousin*
el suegro, la suegra *father-in-law, mother-in-law*
el sobrino, la sobrina *nephew, niece*
el yerno, la nuera *son-in-law, daughter-in-law*
el padrastro, la madrastra *stepfather, stepmother*

D.

LA SEÑORA. Hágame el favor de servir más agua.
UN MESERO. Muy bien, señora.
LA TÍA MARÍA. Se cayó mi tenedor. Hágame el favor de otro.
UN MESERO. Está bien.
UN JOVEN (*al mesero*). Hágame el favor de más pan. Prefiero pan francés. Luisa, favor de pasarme la sal y la pimienta.
LUISA. Sí. ¿ Cómo no ? (*Al oído de Luis.*) ¡ Qué sabrosa la sopa ! ¿ Verdad ?
UN MESERO (*al tío Pepe*). Señor, ¿ desea Ud. mantequilla ?
EL TÍO PEPE. No, gracias. Tengo suficiente.
UN MESERO. ¿ Ya terminó Ud. ?
LUISA. Sí, ya puede quitar el plato.
LA SEÑORA. Traiga otro vaso de leche para el niño, por favor.

UN MESERO. En seguida, señora.

LA TÍA MARÍA. Ay, mira, Tomasito, ya se manchó tu servilleta de chocolate. (*Al mesero.*) Hágame el favor de llevarse esta servilleta y traer una limpia.

LA SEÑORA. Pues, no le hace. Mi Josefina volteó un vaso de agua, y el mantel está mojado.

UN MESERO (*al otro*). Quite todo de la mesa antes de servir el café. No se le olviden las cucharitas.

Vocabulario adicional

los dulces *candy* (pieces of)
la galleta *cracker, cookie*
el chicle *gum* (chewing)
picante *hot* (with pepper)
el hielo *ice*
levantar la mesa *to clear the table*

E.

Después de tomar el café, estuvieron de sobremesa un rato. Al irse felicitaron a los señores Moreno, y les dieron las gracias por haberlos invitado.

UNA SEÑORA. Muchas felicidades. No nos lo dijo Ud., pero sé que hoy es día de su santo, Laura. Gracias, pasé un rato muy contenta.

LA SEÑORA MORENO. De nada, Ángela; estoy encantada de que pudiera Ud. venir.

Y así se fueron despidiendo todos los invitados.

F.

LA SEÑORA MORENO. Alfonso, todavía hay que pagar la cuenta y darles propina a los meseros.

EL SEÑOR MORENO. Voy a ajustar la cuenta a la caja con el cajero. (*Al cajero.*) Hágame el favor de la cuenta del señor Alfonso Moreno.

EL CAJERO. Muy bien, señor. 20 (veinte) cubiertos a $3 (tres pesos) cada uno son $60 (sesenta pesos). ¿No?

EL SEÑOR MORENO. Sí, señor. Hágame el favor de darme cambio por este billete de a cien pesos.

EL CAJERO. Aquí está su cambio.

EL SEÑOR MORENO (*al jefe de los meseros*). Aquí tiene para todos. Muchas gracias.

EL JEFE. A Ud., señor. Para servir a Ud.

EL SEÑOR MORENO. Ya está todo arreglado. Vámonos, Laura.

I. Contéstense las siguientes preguntas:

1. ¿Qué es lo que estaba muy sabrosa? 2. ¿Cuál fué el postre? 3. ¿Cuánto costó cada cubierto? 4. ¿Con quién vinieron los gemelos? 5. ¿Cuántas personas van a comer con los señores Moreno? 6. ¿Qué sopa van a tomar? 7. ¿Por qué ofreció esta comida la señora Moreno? 8. ¿Qué hizo el señor Moreno después de que se fueron los invitados? 9. ¿Qué hay que hacer antes de servir el café? 10. ¿Qué hizo Josefina?

II. Aprenda de memoria el papel de uno de los personajes para representarlo con otros delante de la clase.

III. Escriba al dictado lo que la maestra lea.

IV. Traduzca al español:

1. I want tomato soup, filet, fried potatoes, a glass of milk, bread and butter, and vanilla ice cream. 2. Please may I have a clean napkin and another fork? 3. Please bring me a glass of water. With ice? Yes, please. 4. Do you want an omelet or fried eggs? 5. They want toast and jelly. 6. She asked us to serve tomato salad. 7. Clear the table now. 8. The children will have (eat) potatoes. 9. Set two more places. My sister-in-law and my cousin are going to eat here. 10. When do you want lunch served, madame?

22

EN EL RANCHO

A.

Manuel invitó a su amigo Rafael a que pasara las vacaciones del verano en la hacienda de su abuelito. « La Hacienda de Búfalo », pues así se llama el rancho, es de 100.000 (cien mil) hectáreas más o menos.

Los jóvenes llegaron un domingo por la tarde. Después de saludar a los familiares de Manuel, éste le dijo a Rafael:

— Vamos a montar a caballo para que conozca Ud. algo del rancho.

— ¡ Cómo no ! Me gusta mucho montar a caballo.

— Vámonos, pues, al corral a ensillar los caballos. Los mozos se fueron al pueblo cercano porque era domingo.

— Yo no sé ensillar caballos, pero quiero aprender.

— Pues, primero se pone el sudadero; luego se pone la silla. Hay que tener cuidado para ajustar bien la cincha.

— No es tan difícil como me imaginaba.

— Ahora vamos a quitar el lazo y a poner el freno. Hay que tener cuidado al poner el bocado del freno.

— Un momento, tengo que alargar los estribos. Soy muy alto. ¿ Vamos a ponernos espuelas o llevamos una cuarta (un látigo) ?

— Estos caballos son muy mansos. Sería mejor llevar las

dos cosas. ¿ O prefiere Ud. domar uno de aquellos caballos briosos en el otro potrero ?

— Como no soy vaquero, mucho menos caporal, montaré éste.

B.

Comienzan a recorrer las tierras.

— Manuel, ¿ qué es aquello que brilla a lo lejos ?

— Es la laguna en donde el ganado toma agua.

— ¿ Qué es aquella mancha verde que se ve en el valle ?

— Pues, son los sembrados de trigo, o de avena, o de maíz u otro grano. Yo no sé. También, paso 9 (nueve) meses en la ciudad.

— ¿ Qué es aquello que se ve allá a la izquierda ?

— Pues es una manada de ganado. Mi abuelito tiene miles y miles de cabezas de ganado de todas clases. Hay ganado vacuno (los toros, las vacas y los becerros), ganado lanar (las ovejas y los corderos), ganado mular (las mulas), ganado cabrío (las cabras) y ganado de cerda (los puercos).

— ¿ Veremos herrar los animales ?

— No, ya pasó la temporada de herraderos. Lo que sí vamos a ver son las fiestas charras. De vez en cuando los vaqueros compiten entre sí lazando novillos, domando animales briosos, montando toros y demostrando su habilidad para manejar la reata.

— ¡ Qué bueno ! Me va a gustar mucho eso. Un señor que es ranchero y que se encarga de la siembra y de la cosecha de la alfalfa, de la cebada y del centeno de un hacendado me ha platicado de los rodeos.

— Pues sí. Aquí los rancheros que viven en la cuadrilla cerca de la acequia se encargan de eso, y también de sembrar el heno.

— ¿ No debemos regresar a casa ya ?

— Sí, mañana seguiremos recorriendo la hacienda.

Vocabulario adicional

el gato *cat*
el perro *dog*
el forraje *fodder, feed*
el cabestro *halter*
la casa grande *landowner's home*
cosechar *to reap*
la rienda *rein*
rodear *to round up*
acortar *to shorten*
el pajar *strawstack*

I. Contéstense las siguientes preguntas:

1. ¿Por qué prefirió Rafael montar un caballo manso? 2. ¿Dónde toma agua el ganado? 3. ¿Vive Manuel en el rancho todo el año? 4. ¿Qué clases de ganado tiene el abuelito de Manuel? 5. ¿Cuál es más grande, un acre o una hectárea? 6. ¿Qué hicieron Rafael y Manuel antes de ensillar los caballos? 7. ¿Quién le platicó a Rafael de los rodeos? 8. ¿Cuándo llegaron los jóvenes? 9. ¿Dónde estaban los mozos? 10. ¿Qué es una fiesta charra?

II. Aprenda de memoria el papel de uno de los personajes para representarlo con otro delante de la clase.

NOTE TO THE TEACHER: Divide the class into groups of five or six students. Each group is to paste on a large piece of cardboard pictures of all the articles or activities related to the ranch. Members of the group will write under each picture correct sentences in Spanish describing the picture. The posters may be judged for accuracy, novelty, completeness, and attractiveness by the teacher or by the students.

23

EN EL JARDÍN

A.

EL JARDINERO (*tocando a la puerta*). Buenos días. ¿ Está la señora ?

LA CRIADA. Sí, voy a decirle que Ud. está aquí. (*A la señora.*) Ya vino el jardinero, señora. ¿ Qué quiere que haga ?

LA SEÑORA. Voy en seguida a decirle.

LA CRIADA (*retirándose*). Muy bien, señora.

LA SEÑORA (*al jardinero*). Buenos días, Pancho. ¿ Por qué vino tan tarde ? Hay mucho que hacer.

PANCHO. Pues, se me fué el tranvía, y el otro se tardó mucho.

LA SEÑORA. Pues, primero corte el césped (el pasto). La cortadora de césped está en el subterráneo. Tenga cuidado de cortar bien el césped alrededor de los cuadros de flores.

PANCHO. Es necesario componer la cortadora, señora. La última vez le faltaba un tornillo y por eso no cortó bien. También hay que afilar las hojas.

LA SEÑORA. Muy bien. Compóngala, pero no se tarde. También quiero que recorte la cerca. Ha crecido mucho del lado derecho.

PANCHO. ¿ Ya compró tijeras grandes ?

LA SEÑORA. Sí, están en el cajón de abajo en el armario que

está en el subterráneo. Al mismo tiempo traiga la manguera para regar las flores antes de que les dé el sol.

PANCHO. Hasta las once están a la sombra de los árboles y de la cerca.

LA SEÑORA. Muy bien. También tenga cuidado de barrer bien y dejar todo limpio, en orden y las cosas en su lugar.

PANCHO. Muy bien, señora. Cuando yo termine, Ud. me dirá lo que no le guste.

Vocabulario adicional

el ladrillo *brick*
el cemento *cement*
la orilla *edge, border, shore, bank*
la reja *iron grating*
la hiedra *ivy*
la mezcla *mortar*
la vereda *path*
el yeso *plaster*
la semilla *seed*
la enredadera *vine*

B.

Esa tarde la señora Palmeras viene a visitar a la señora Molinar.

LA SEÑORA PALMERAS. ¡Qué precioso su jardín! ¡Qué lindas flores!

LA DUEÑA DEL JARDÍN. Los alelíes están más grandes que nunca. Los pensamientos se dieron muy bien este año. Voy a darle un ramillete de rosas y helechos que recogí hoy por la mañana.

LA SEÑORA PALMERAS. Muchas gracias. Me encantan las rosas.

LA DUEÑA. Mire qué seca está aquí la tierra. Se me olvidó decirle a Pancho que escarbara los cuadros de flores. Tendré que sacar el azadón y hacerlo yo. Pero más tarde cuando se haya puesto el sol.

LA SEÑORA PALMERAS. Ya tengo que irme. Muchas gracias por estas lindas flores.

LA DUEÑA. De nada. Salude de mi parte a todos en su casa.

LA SEÑORA PALMERAS (*dándole la mano a la señora Molinar*). Gracias. Igualmente. Adiós.

LA DUEÑA. Adiós.

Vocabulario adicional

el clavel *carnation*
la margarita *daisy*
la gardenia *gardenia*
la madreselva *honeysuckle*
la espuela *larkspur*
la azucena *lily*
la adelfa *oleander*
la orquídea *orchid*
la amapola *poppy*
el chícharo *sweet pea*
el tulipán *tulip*
la violeta *violet*

I. Contéstense las siguientes preguntas:

1. ¿ Cuándo viene el jardinero a su casa? 2. ¿ Cuándo va la señora Molinar a escarbar los cuadros de flores? 3. ¿ Qué flores se dieron bien este año? 4. ¿ Por qué llegó Pancho tan tarde a su trabajo? 5. ¿ Qué va a tener Pancho que hacer antes de comenzar a cortar el césped? 6. ¿ Qué tiene que traer Pancho cuando vaya por las tijeras grandes? 7. ¿ A quiénes les manda saludos la señora Molinar? 8. ¿ Por qué dice Pancho que la cortadora no cortó bien? 9. ¿ De qué lado ha crecido mucho la cerca? 10. ¿ Dónde quiere la señora que Pancho deje las cosas?

II. Aprenda de memoria el papel de uno de los personajes para representarlo con otros delante de la clase.

III. Traduzca al español:

1. Miguel, I want you to come early Saturday morning. 2. Sweep the flower beds well and gather the dry leaves. 3. Be careful to cut the edge of the grass straight. 4. Work quickly, and water the grass before the sun shines on it. 5. Bring me a bouquet of roses. I like them better than pansies. 6. The flower shop had only pansies. They were out of several flowers. 7. Be careful to cut the vines around the paths well. 8. Plant the stock seeds in that flower bed near the trees. 9. Nail the ivy to the bricks. 10. Come every first and third Wednesday.

24

REPASO DE LAS LECCIONES 20–23

I. Escoja la palabra que no pertenezca a cada grupo:

1. la sarga, la alforza, la franela, la gabardina, el lino.
2. el heno, la rosa, el alelí, el pensamiento, la gardenia.
3. el centeno, la avena, el helecho, el trigo, la cebada.
4. la leche, el hielo, el té, el café, el agua.
5. el sastre, la costurera, el mesero, el vaquero, la cafetera.
6. la nuera, la cuñada, la solapa, la sobrina, la suegra.
7. plegar, hilvanar, remendar, coser, cosechar.
8. el ladrillo, el cemento, la vereda, el yeso, la madera.
9. la rienda, el puerco, la cabra, la oveja, el becerro.
10. el salero, la jarra, la jalea, la azucarera, la tetera.
11. la reata, la rienda, el lazo, el sudadero, la acequia.
12. el heno, la laguna, la paja, el forraje, el maíz.

II. Arregle las siguientes palabras en frases correctas:

1. a, el, ensillar, vamos, caballo.
2. dobladillo, el, más, poquito, un, suba.
3. agua, de, favor, vaso, un, traerme, el, hágame, de.
4. para, traiga, flores, regar, manguera, las, la.
5. María, parte, salude, a, mi, de.
6. la, hay, bien, tener, cincha, cuidado, ajustar, para, que.
7. Juan, té, con, no, el, gusta, limón, le, a.
8. se, hilo, el, ayer, blanco, acabó.
9. escarbar, del, voy, tierra, flores, cuadro, la, de, a.
10. tranvía, me, fué, el, se.
11. a, billete, de, cambio, quiero, diez, este, por.
12. a, Pedro, a, tocó, once, puerta, las, la.

III. Dé en español lo contrario de las siguientes frases:

1. la última vez. 2. Hay mucho que hacer. 3. Levante la mesa. 4. Sí le hace. 5. Me despido de la señora. 6. al sol. 7. Salió el sol. 8. en seguida. 9. Las flores se dieron mal. 10. Me sienta bien el sombrero.

IV. Escoja de la lista A y de la lista B las palabras de sentido opuesto:

A	B
alargar	acortar
grueso	seco
mojado	tarde
limpio	manso
ajustar	delgado
brioso	empezar
campo	poner
temprano	ciudad
quitar	sucio
terminar	aflojar

V. Traduzca al español:

1. Plant these seeds here.
2. a cup of tea
3. a ham sandwich
4. more toast, please
5. a glass of fruit juice
6. The coffee is too strong.
7. lemon or cream
8. Transplant these flowers.
9. a bouquet of flowers for the shoulder (corsage)
10. hot tea or iced tea
11. the finest kind of cattle
12. half a grapefruit
13. more cookies
14. a cattle buyer
15. the potato salad
16. the weight of the cattle
17. more sandwiches
18. a well-cooked steak
19. some tomato salad
20. Water the grass.

VI. Escriba al dictado lo que la maestra lea.

25

EL CLIMA Y LA HORA

A.

EL SEÑOR CORONEL DEL EJÉRCITO. Pues, hoy recibí órdenes de salir el 15 (quince) de mayo para Ríobonito.

SU ESPOSA. ¡Ay de mí! Y cuando acabo de comprar todos los muebles para esta casa. Así es la vida, ¿verdad?

EL CORONEL. Y voy a decirte otra cosa: el clima de Ríobonito es horrible. En el invierno no hace mucho frío como hace aquí en el norte, pero es muy seco.

SU ESPOSA. ¿Hace mucho aire (viento)?

EL CORONEL. En el invierno, no; pero sí hace mucho aire y polvo en la primavera. Por ejemplo, a la madrugada hace buen tiempo, pero antes del mediodía el cielo se nubla, y la gente en la calle anda ahogándose de polvo.

SU ESPOSA. ¡Ay, Pablito mío! Y, ¡tanto que me gusta la lluvia! ¿Hay flores y árboles en los jardines, o es puro desierto?

EL CORONEL. Pues, ¿qué sé yo, Angelita mía? Tú sabes que nunca he estado allá.

UNA AMIGA DE LA SEÑORA. En Ríobonito en el otoño hace un tiempo precioso. El sol brilla deliciosamente todo el día. Los días son tranquilos desde el amanecer hasta el anochecer. Las hojas amarillas cuelgan inmóviles de las ramas de los álamos. Y, cuando cae la tarde, ¡qué crepúsculos más lindos! Y, por la noche, ¡qué estrellas más brillantes en el cielo, y qué noches de luna tan hermosas!

EL CORONEL. ¿Y el verano, señora? Me dicen que día tras día hace un calor insoportable.

SU ESPOSA. ¿Nunca llueve?

EL CORONEL. Dicen que casi nunca.

LA AMIGA. Es tarde. Tengo que irme. No se apure, Angelita. Les gustará el clima allá.

LA ESPOSA DEL CORONEL. Vuelva a vernos pronto, Ana.

EL CORONEL. Sí, Ana, y salude de mi parte al capitán.

ANA. Muchas gracias. Volveré antes de que se vayan.

TODOS. Adiós, hasta luego, hasta la vista.

Vocabulario adicional

la brisa *breeze*
caluroso *hot*
la media noche *midnight*
hay lodo *it is muddy*
la estación *season*
severo *severe*
hace poco tiempo *a short time ago*
suave *soft*
nevar *to snow*
hace 3 (tres) años *three years ago*

B.

UNA MAMÁ. Hijitos, ya es hora de levantarse.

PEPITO. Pues, mamacita, ¿qué hora es?

LA MAMÁ. Es tarde. Ya dieron las 7 (siete).

PERIQUITO. ¿Qué le hace? Yo me visto en 10 (diez) minutos.

PANCHITA. Pues, yo no. Necesito media hora, cuando menos.

LA MAMÁ. Levántense, muchachos. Ya son las 7:12 (siete y doce).

PEPITO. Ya me lavé. Tomaré el desayuno en 15 (quince) minutos, y estaré listo a los 20 (veinte) para las 8 (ocho).

PERIQUITO. Ya me vestí. Voy al comedor.

PANCHITA. ¿ Estará en casa a la 1 (una) ? Voy a salir de la escuela a las 12:30 (doce y treinta). No hay clases en la tarde.

LA MAMÁ. No, hija mía. Tengo un compromiso con el dentista todos los viernes a la 1 (una) en punto. Pero volveré a eso de las 3 (tres). No olvide que tiene que ensayar su pieza de música $\frac{3}{4}$ (tres cuartos) de hora.

PEPITO (*al ver entrar en el comedor a su mamá y a su hermana*). ¿ A cómo estamos (a qué fecha estamos), mamá ?

LA MAMÁ. Estamos a 30 (treinta) de abril. ¿ No ?

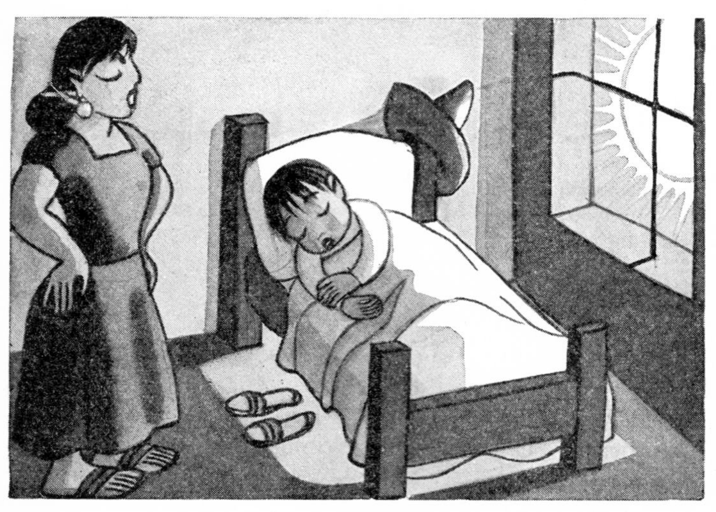

PERIQUITO. No, mamá. Estamos a 1º (primero) de mayo.

LA MAMÁ. ¿ Qué tarea estás haciendo tan tarde ?

PEPITO. Estoy por acabar mi lección, y no tengo prisa. No es tarde.

PANCHITA. El sábado a las 9 (nueve) de la mañana vendrá Elisa para llevarme al cine. ¿ Puedo ir, mamá ?

LA MAMÁ. ¿ A qué hora van a volver ?

PANCHITA. Pues, llegaremos a comer a tiempo, mamacita.

LA MAMÁ. Muy bien.

PERIQUITO. Mamá, ¿ en qué año se firmó la declaración de la independencia de los Estados Unidos de América ?

LA MAMÁ. ¡ Qué sé yo, hijo mío ! Hace años que no pienso en esas cosas.

PANCHITA. Pues, yo sé. Fué el 4 (cuatro) de julio de 1776 (mil setecientos setenta y seis).

PEPITO. Faltan 13 (trece) para las 8 (ocho). Ya está aquí el coche.

Vocabulario adicional

enero *January*
febrero *February*
marzo *March*
abril *April*
mayo *May*
junio *June*
julio *July*
agosto *August*
septiembre *September*
octubre *October*
noviembre *November*
diciembre *December*
el domingo *Sunday*
el lunes *Monday*
el martes *Tuesday*
el miércoles *Wednesday*
el jueves *Thursday*
el viernes *Friday*
el sábado *Saturday*
el año bisiesto *leap year*

I. Contéstense las siguientes preguntas:

1. ¿ A qué hora va a volver Panchita del cine ? 2. ¿ Cuándo se firmó la declaración de la independencia de los Estados Unidos de América ? 3. ¿ Cuándo hace un tiempo precioso en Ríobonito ? 4. ¿ Cuándo hace mucho aire y polvo en Ríobonito ? 5. ¿ Qué acaba de hacer la esposa del coronel ? 6. ¿ Cuánto tiempo necesita

Panchita para vestirse? 7. ¿Qué está haciendo Pepito cuando su mamá entra en el comedor? 8. ¿Cuándo tiene que salir el coronel para Ríobonito? 9. ¿A cómo estamos hoy? 10. ¿Llueve mucho en Ríobonito?

II. Aprenda de memoria el papel de uno de los personajes para representarlo con otros delante de la clase.

III. Los alumnos y la maestra escribirán en inglés una corta descripción del tiempo ese día, y los alumnos la traducirán al español.

IV. Traduzca al español:

1. When were you born?
2. I was born . . .
3. about a quarter of six.
4. 1576
5. What date is it today?
6. Today is not the first of June.
7. ten o'clock in the morning
8. At what time?
9. on time
10. late
11. It is time.
12. It is already twelve.
13. at 10 to 11:00
14. I am in a hurry.
15. Come at 8:30 sharp.
16. seven minutes of nine (three ways)
17. at midnight
18. at noon
19. right now
20. 2003

26

EL VIAJE

A. El pasaporte

Los señores Muñoz piensan hacer un viaje a México.

EL SEÑOR MUÑOZ. María Elena, ayer me avisaron de la oficina federal que ya habían llegado nuestros pasaportes expedidos de Wáshington.

MARÍA ELENA. ¡Ay! Con estos retratos tan feos. Parecemos unos criminales o unos espantapájaros por lo menos.

EL SEÑOR MUÑOZ. Tenemos que ir ahorita (ahora mismo) con los pasaportes al consulado mexicano para que nos den la tarjeta de turista.

MARÍA ELENA. ¿Llevamos también las cartas del banquero, del médico y del jefe de la policía?

EL SEÑOR MUÑOZ. Sí, lo llevo todo. (*Al llegar al consulado mexicano.*) Buenos días, señor.

EL EMPLEADO. Buenos días. ¿ En qué les puedo servir ?

EL SEÑOR MUÑOZ. Queremos hacer un viaje a México, y venimos a sacar un permiso.

EL EMPLEADO. Muy bien, señor. Siéntense aquí. Con permiso de ustedes, les voy a hacer algunas preguntas.

EL SEÑOR MUÑOZ. Sí, señor, también traemos nuestros pasaportes como identificación.

EL EMPLEADO. ¿ Su nombre y domicilio, señor ?

EL SEÑOR MUÑOZ. Federico Muñoz. Avenida Manzana número 3208 (tres mil doscientos ocho).

LA SEÑORA MUÑOZ. María Elena García de Muñoz. La misma dirección.

EL EMPLEADO (*mirándolos*). ¿ Constitución física ? Gruesa. Esbelta. ¿ Su estatura ?

EL SEÑOR MUÑOZ. 6 (seis) pies o 1 (un) metro y 80 (ochenta) centímetros.

LA SEÑORA MUÑOZ. 5 (cinco) pies 6 (seis) pulgadas o 1 (un) metro y 70 (setenta) centímetros.

EL EMPLEADO. ¿ El color del pelo y de las cejas ?

EL SEÑOR MUÑOZ. Castaño.

LA SEÑORA MUÑOZ. Rubio.

EL EMPLEADO. ¿ Sus ojos ?

EL SEÑOR MUÑOZ. Verdes.

LA SEÑORA MUÑOZ. Azules.

EL EMPLEADO. ¿ Mentón (barbilla) ? Ovalado. Ovalado. ¿ Color ? Blanco. Blanco. ¿ Bigote ? Sí. No. ¿ Nariz ? Hágame el favor de volverse para que yo vea su perfil. Aguileña. Recta. ¿ Barba ? No. No. ¿ Qué señas particulares tienen ?

EL SEÑOR MUÑOZ. Tengo esta pequeña cicatriz en la mejilla.

LA SEÑORA MUÑOZ. Este lunar junto a la boca.

El empleado. ¿Su edad?
El señor Muñoz. 39 (treinta y nueve) años.
La señora Muñoz. Más de 21 (veintiún) años.
El empleado. ¿Año en que nacieron?
El señor Muñoz. 1901 (mil novecientos uno).
La señora Muñoz. Pues, en 1905 (mil novecientos cinco).
El empleado. ¿Estado civil? Casados, ¿verdad? ¿Su profesión?
El señor Muñoz. Abogado.
La señora Muñoz. Ama de casa.
El empleado. ¿Idioma nativo?
El señor Muñoz. Inglés.
El empleado. ¿Qué otros idiomas hablan?
El señor Muñoz. Español.
La señora Muñoz. Español y francés.
El empleado. ¿Dónde nacieron Uds.?
El señor Muñoz. En el estado de Nueva York.
La señora Muñoz. En el estado de Colorado.
El empleado. ¿Nacionalidad actual?
Los dos. Norteamericana.
El empleado. ¿Religión?
Los dos. Protestante.
El empleado. ¿Lugar de su residencia?
El señor Muñoz. Santa Fe, Nuevo México.
El empleado. Bueno, entrégueme las cartas, y mañana puede pasar por las tarjetas de turista.
La señora Muñoz. ¿Necesito venir yo, también, señor?
El empleado. No, señora. No necesita molestarse Ud. El señor puede recoger las tarjetas después de las once.
El señor Muñoz. ¿Cuánto es, señor?
El empleado. $1 (un dólar) cada una. Hágame el favor de firmar aquí.
Los dos (*después de firmar*). Buenos días.
El empleado. Buenos días.

Vocabulario adicional

adulto *adult*
católico *Catholic*
el dato *fact, datum*
el agente de migración *immigration officer*
judío *Jewish*
menor de edad *minor*
la firma *signature*
soltero *single*
viudo *widower*

B. *En la aduana*

EL SEÑOR MUÑOZ. Buenos días, señor. ¿ Qué debo hacer con mi equipaje ?

UN AGENTE DE LA ADUANA. Hágame el favor de abrir todas las maletas y petacas (baúles) para la revisión. ¿ Qué tiene que declarar ?

EL SEÑOR MUÑOZ. Pues, no sé. ¿ Qué debo declarar ?

EL AGENTE. Tiene que pagar derechos de importe por todos los cigarros y puros que pasen de 100 (cien), y por toda la ropa que no sea suya.

EL SEÑOR MUÑOZ. No traigo un paquete de cigarros, solamente traigo 4 (cuatro) cajetillas.

EL AGENTE (*revisando el equipaje*). ¿ Toda esta ropa es suya y de Ud., señora ?

LOS DOS. Sí, señor.

EL SEÑOR MUÑOZ. ¿ Ya podemos cerrar las petacas y maletas ?

EL AGENTE. Sí, señor. Ya lo he registrado todo.

EL SEÑOR MUÑOZ. ¿ Qué debo hacer ahora ?

EL AGENTE. Pues, llame a un cargador, señor, para que lleve su equipaje a facturarlo.

C. *En la estación del ferrocarril*

EL SEÑOR MUÑOZ. ¿ Dónde está la sala de equipajes ?

UN CARGADOR. Primero, tiene que comprar sus boletos (billetes).

ADUANA

EL SEÑOR MUÑOZ. ¿ Dónde los compro ?

EL CARGADOR. En la ventanilla aquella de la sala de espera.

LA SEÑORA MUÑOZ. ¿ Tiene dinero mexicano ?

EL SEÑOR MUÑOZ. Todavía no. Voy a pasar a la otra ventanilla donde dice: CAMBIAMOS DINERO.

LA SEÑORA MUÑOZ. Está bien. Voy a esperar aquí.

EL SEÑOR MUÑOZ (*al regresar con el dinero mexicano*). Me dieron 580 (quinientos ochenta) pesos por 100 (cien) dólares. Ahora voy a comprar los boletos.

EL AGENTE DE BOLETOS. Dígame, señor.

EL SEÑOR MUÑOZ. Quiero dos boletos de primera a la ciudad de México.

EL AGENTE. ¿ Sencillos o de ida y vuelta (de viaje redondo) ?

EL SEÑOR MUÑOZ. De ida y vuelta.

EL AGENTE. ¿ Con escalas ?

LA SEÑORA MUÑOZ. No, señor, sin escalas.

EL AGENTE. ¿ Desean boletos de pullman ?

LA SEÑORA MUÑOZ. Preferimos camas bajas.

EL AGENTE. Van muchos pasajeros. Lo mejor que les puedo dar es una sección o sea cama baja y cama alta.

EL SEÑOR MUÑOZ. Muy bien, ¿ pero nos la puede dar en medio del vagón-cama ?

EL AGENTE. Sí, señor. Aquí están los boletos del número 6 (seis).

LA SEÑORA MUÑOZ. ¿ A qué hora sale el tren ?

EL AGENTE. A las tres en punto.

EL SEÑOR MUÑOZ. ¿ A qué hora llega a la capital ?

EL AGENTE. Hoy es miércoles, pues llega el viernes a la una y media de la tarde.

LA SEÑORA MUÑOZ. ¿ Viene atrasado el tren hoy ?

EL AGENTE. No, señora, llega a tiempo hoy.

LOS DOS. Gracias, señor.

EL AGENTE. A Uds.

La señora Muñoz (*al señor Muñoz*). ¿Cuánto tiempo nos falta?

El señor Muñoz. Pues, faltan 18 (dieciocho) minutos todavía.

Vocabulario adicional

el conductor *conductor*
la máquina (locomotora) *engine*
el maquinista *engineer*
el tren expreso *express train*
el coche de primera *first-class coach*
el tren de carga *freight train*
el tren mixto *mixed train*
el agente de publicaciones *newsboy*
el mozo del pullman *pullman porter*
el vagón *railway car*
el coche de segunda *second-class* or *day coach*
la ventanilla *train window*

I. Contéstense las siguientes preguntas:

1. ¿Por qué hay que abrir las maletas en la aduana? 2. ¿A dónde piensan los señores Muñoz hacer un viaje? 3. ¿A qué van los señores Muñoz al consulado mexicano? 4. ¿Qué boletos compró el señor Muñoz? 5. ¿Quién lleva el equipaje a facturarlo? 6. ¿Qué camas compraron los señores Muñoz? 7. ¿Cuántos años tiene el señor Muñoz? 8. ¿Tuvieron que pagar derechos de importe los señores Muñoz? 9. ¿Venía atrasado el tren el día que iban a México los señores Muñoz? 10. ¿Qué idiomas habla la señora Muñoz?

II. Aprenda de memoria el papel de uno de los personajes para representarlo con otros delante de la clase.

III. Escriba al dictado lo que la maestra lea.

IV. Conteste las preguntas de la sección A como si el señor o la señora Muñoz fuera usted.

27

EL JUZGADO

EL AGENTE DE TRÁFICO (*después de haberle silbado a un joven que manejaba un auto*). Deténgase Ud. ¿ No sabe Ud. que hay que hacer alto en esa bocacalle ?

EL JOVEN. Pues, no. No lo sabía.

EL AGENTE. Pues, no le hace. Me tiene que acompañar al juzgado. (*Al llegar a la 6ª [sexta] comisaría de policía.*) Buenas tardes, señor juez. Este joven ha cometido una infracción de tráfico.

EL JUEZ. ¿ Cómo se llama Ud., joven ?

EL JOVEN. Patricio Obregón, para servir a Ud.

EL JUEZ. ¿ De qué nacionalidad es Ud. ?

EL JOVEN. Soy norteamericano.

EL JUEZ. ¿ Cuántos años tiene Ud. ?

EL JOVEN. 22 (veintidós), señor.

EL JUEZ. ¿ Su domicilio ?

EL JOVEN. En la calle Porfirio Díaz número 1910 (mil novecientos diez).

EL JUEZ. ¿ En qué se ocupa Ud. ?

EL JOVEN. Pues, soy ingeniero minero.

EL JUEZ. ¿ Dónde trabaja Ud. ?

EL JOVEN. Trabajo con la compañía minera Equis.

EL JUEZ. Muy bien, joven. (*Al agente.*) ¿ De qué infracción es culpable ?

EL AGENTE. Pues, señor, al llegar en su coche a la esquina de las calles Pera y Manzana siguió adelante sin obedecer la luz roja.

EL JUEZ. ¿ Está Ud. conforme con lo que dice el agente ?

EL JOVEN. Pues, señor, no la ví.

JUZGADO
MAYO
1
1942

EL JUEZ. ¿Estaba Ud. borracho?
EL JOVEN. No, señor.
EL JUEZ. Pues ¿había Ud. tomado algo?
EL JOVEN. No, señor. No he tomado nada.
EL JUEZ. Como Ud. se ha portado tan cortésmente, y como Ud. no está apuntado en el libro de infractores, solamente le voy a imponer una pequeña multa de 3 (tres) pesos. ¿Puede pagarla ahorita (ahora mismo)? porque, si no, tengo que encarcelarlo hasta que pague el dinero.
EL JOVEN. No, señor. Aquí tiene. Gracias.

Vocabulario adicional

tener la culpa *to be to blame*
la contumacia *contempt of court*
el tribunal *court of justice*
cortar la esquina *to cut corners*
el exceso de velocidad *exceeding the speed limit*
no observar las señales de tráfico *to fail to observe traffic signals*
dar fianza por *to give bail for*
la infracción bola *not going around the button in the center of the street*
bajo fianza *on bond, on bail*
la cárcel (penitenciaría) *prison*
robar *to steal*
el ladrón *thief*

I. Contéstense las siguientes preguntas:

1. ¿De qué infracción de tráfico es culpable Patricio? 2. ¿En qué se ocupa Patricio? 3. ¿Cuánto tuvo que pagar Patricio de multa? 4. ¿Por qué no tuvo que pagar una multa grande? 5. ¿Cómo llamó el agente a Patricio? 6. ¿Por qué dice Patricio que no es culpable?

II. Aprenda de memoria el papel de uno de los personajes para representarlo con otros delante de la clase.

III. Traduzca al español:

1. I did not see the stop sign. 2. I did not see the red light. 3. I was going forty-five kilometers per hour. 4. Did you cut the corner? 5. Of what traffic violation are you guilty? 6. May I get out on bail? 7. I want to give bail for Patricio. 8. He failed to observe the traffic signals.

28

REPASO DE LAS LECCIONES 25–27

I. Escoja la palabra que no pertenezca a cada grupo:

1. el año, el lunes, el día, el mes, la semana.
2. otoño, octubre, febrero, mayo, enero.
3. a tiempo, en medio, temprano, atrasado, tarde.
4. norteamericana, francesa, alemana, mexicana, soltera.
5. el boleto, el pasaporte, el billete, la tarjeta, el equipaje.
6. estacionarse, parar, hacer alto, encarcelar, detenerse.
7. el metro, la pulgada, la frontera, el pie, el kilómetro.
8. borracho, rubio, esbelto, gordo, moreno.
9. severo, lodo, húmedo, caluroso, suave.
10. los miércoles, los jueves, los huevos, los viernes, los martes.

II. Escoja de la lista A y de la lista B las palabras relacionadas:

A	B
la petaca	multar
el ladrón	firmar
infracción	pagar
el billete	facturar
los derechos	ensayar
el pasaporte	anochecer
el día	robar
la pieza de música	brillar
el crepúsculo	cambiar
las estrellas	amanecer

III. Arregle las siguientes palabras en frases correctas:

1. que, ropa, derechos, tiene, toda, pagar, la, por.
2. precioso, el, hace, tiempo, en, otoño, un.
3. eso, tres, volveré, las, de, casa, a, a.
4. que, dice, no, conforme, agente, estoy, con, lo, el, tráfico, de.
5. sábado, con, compromiso, dentista, el, el, tengo, un.
6. llueve, hay, en, polvo, no, cuando, aire, el.
7. obedecer, sin, luz, adelante, roja, la, siguió.
8. carga, siempre, tranvía, voy, pasa, tren, un, de, cuando, el, en.
9. borracho, tomado, no, porque, había, estaba, nada, no.
10. espera, cargador, que, maleta, de, para, sala, llame, la, al, a, lleve, la.

IV. Traduzca al español:

1. Be ready on time.
2. I lost my passport.
3. I don't have any work.
4. an upper berth
5. the first of the year
6. The room is cold.
7. almost never
8. Don't worry.
9. It is time to go.
10. What does it matter?
11. I shall have breakfast at 7:30.
12. in the dining room
13. at home
14. in the house
15. a one-way ticket
16. until you pay the money
17. to take out a permit
18. 1942
19. Where is the porter?
20. The green light was on.

29

LA LIMPIEZA DE LA CASA

A.

Los gemelos Luis y Luisa van a ayudarle a su mamá a hacer la limpieza de la casa.

LA MAMÁ. Ya es hora de empezar a limpiar la casa. Primero está bueno lavar todas las ventanas por dentro y por fuera.

LUIS. Voy a traer la escalera de mano, y yo lavo las ventanas por fuera.

LUISA. Mientras tanto yo traeré la bandeja con agua, el jabón y los trapos. Nos encontramos en la ventana de la sala.

LOS DOS (*después de lavar todas las ventanas*). Mamá ya acabamos. ¿ Qué más ?

LA MAMÁ. Pues yo ya limpié las paredes con esta escoba cubierta de trapos. Luis barrerá el pasillo, la sala y el comedor, porque es muy fuerte. Yo barreré las demás piezas.

LUISA. Yo quitaré el polvo de los muebles con este trapo mojado de aceite para muebles.

LOS DOS (*después de terminar de barrer y de quitar el polvo*). ¿ Ahora qué hacemos ?

LA MAMÁ. Vamos a descansar un rato, y a comer. He preparado unos emparedados que vamos a tomar con leche agria.

LOS DOS. ¡ Oh, qué bueno !

B.

LA MAMÁ. Pues, Luisa, lave los trastes con agua caliente, y Ud., Luis, séquelos y póngalos en su lugar en los tableros.

LOS DOS. Muy bien, mamá. ¿ Vamos a encerar los pisos esta semana ?

LA MAMÁ. No, hijos. Esta semana no. Lo hacemos una semana sí y otra no.

LUISA (*a Luis*). Cuelgue los limpiadores húmedos en el alambre que está tendido en el patio de atrás.

LUIS. Sí, porque necesitan mucho sol para secarse.

LUISA. ¿ Qué quiere que haga ahora ?

LA MAMÁ. Limpie muy bien el cuarto de baño. Luis, tire la basura. Póngala en el bote que está cerca de la puerta del corral.

LUISA. Fíjese bien en taparlo con seguridad para que no atraiga las moscas. La última vez no lo hizo.

LUIS. Sí, sí. Ya lo sé.

LA MAMÁ. Terminado esto, todo estará limpio, y ustedes pueden hacer lo que gusten.

Vocabulario adicional

desempolvar (quitar el polvo) *to dust*
los forros para los muebles *furniture covers*
la plancha *iron*
planchar *to iron*
la tabla de planchar *ironing board*
el trapeador *mop*
sacudir *to shake*
el cesto de los papeles *wastebasket*

I. Contéstense las siguientes preguntas:

1. ¿Ayuda Ud. a su mamá a limpiar la casa? 2. ¿Qué es lo que van a hacer primero los gemelos? 3. ¿Cuándo enceran los pisos en la casa de Luis? 4. ¿Quién va a secar los trastes? 5. ¿Qué le gusta a Ud. más, lavar o secar los trastes? 6. ¿Qué es lo que Luisa va a hacerles a los muebles? 7. ¿Qué comió Luisa? 8. ¿Por qué es necesario tapar bien el bote de la basura?

II. Aprenda de memoria el papel de uno de los personajes para representarlo con otros delante de la clase.

NOTE TO THE TEACHER: Divide the class into groups of five or six students. Each group is to paste on a large piece of cardboard pictures of all the articles or activities related to house cleaning. Members of the group will write under each picture correct sentences in Spanish describing the picture. The posters may be judged for accuracy, novelty, completeness, and attractiveness by the teacher or by the students.

30

EL CINE Y EL TEATRO

A. En el cine

ANDRÉS (*tocando a la puerta*). ¿ Está en casa Delfina Castillo ?

LA CRIADA. Sí, señor. ¿ De parte de quién ?

ANDRÉS. Andrés Cárdenas.

LA CRIADA. Pase Ud., señor. Voy a decirle que está Ud. aquí.

DELFINA. Buenas noches, Andrés. ¿ Cómo le va ?

ANDRÉS. Muy bien. ¿ Y a Ud. ?

DELFINA (*después de darle la mano a Andrés*). Muy bien. Siéntese.

ANDRÉS. Pues, ¿qué película desea ver?

DELFINA. Yo quisiera ver *A la luz de la luna*. Dicen que es preciosa.

ANDRÉS. ¿Quiénes trabajan en esa película?

DELFINA. Pues la protagonista es Linda Eres y el protagonista es Ricardo León. También trabajan en la misma película los cómicos mamá Inés y el tío Lucas.

ANDRÉS. ¿En qué cinematógrafo la están presentando?

DELFINA. En el Colón.

ANDRÉS. ¿A qué hora empieza?

DELFINA. Pues no sé. Mientras voy por mi sombrero, llame por teléfono.

ANDRÉS (*hablando por teléfono*). 3–98–15 (tres–noventa y ocho–quince o tres–nueve–ocho–uno–cinco). Muy bien, gracias.

DELFINA. ¿A qué hora empieza?

ANDRÉS. La línea está ocupada. Vámonos y preguntamos en la taquilla.

ANDRÉS (*a la taquillera*). ¿A qué hora empieza la película?

LA TAQUILLERA. Dentro de 10 (diez) minutos, señor.

ANDRÉS. Entonces quiero dos boletos de luneta. ¿Cuánto es, señorita?

LA TAQUILLERA. 1 (un) peso cada uno. Ahorita (ahora mismo) están en la pantalla los acontecimientos mundiales.

DELFINA. Vamos a entrar ya.

ANDRÉS. Sí. ¿Cómo no?

Vocabulario adicional

el actor *actor*
el pasillo *aisle*
el autor *author*
la galería *balcony*
la butaca *chair*
el estrella de la pantalla *movie star* (male)
la estrella de la pantalla *movie star* (female)
la orquesta *orchestra*
el estreno *première*
estrenar *to show for the first time*

TEATRO
Canción de Cuna
TRANVÍA
O 35

HOTEL PARÍS
CINE COLÓN
HOY
A la luz de la luna
Linda Eres León
A LA LUZ
DE LA LUNA
con
Linda Eres
y
Ricardo León

B. En el teatro

Los padres de Andrés se fueron al teatro a ver la representación de *Canción de cuna.*

EL SEÑOR CÁRDENAS. ¿Qué asientos puede darme en la luneta de preferencia?

LA TAQUILLERA. Tengo dos asientos muy buenos en la 5ª (quinta) fila.

EL SEÑOR CÁRDENAS. ¿Están en medio?

LA TAQUILLERA. Pues, no señor, están a un lado cerca de los palcos.

EL SEÑOR CÁRDENAS. ¿Son mejores los palcos?

LA TAQUILLERA. Sí, porque están más altos.

EL SEÑOR CÁRDENAS. Entonces déme dos asientos en el primer palco, por favor. ¿A qué hora se levanta el telón?

LA TAQUILLERA. A las 8 (ocho) en punto. Es función de gala.

EL SEÑOR CÁRDENAS. ¿Hay fin de fiesta?

LA TAQUILLERA. También. Aquí tiene los programas.

EL SEÑOR CÁRDENAS. Gracias.

LA SEÑORA CÁRDENAS. ¿Llegamos temprano?

EL SEÑOR CÁRDENAS. No, va a empezar luego.

EL ACOMODADOR. ¿Sus boletos, señor?

EL SEÑOR CÁRDENAS. Aquí están.

EL ACOMODADOR. Háganme el favor de seguirme por aquí. (*Al llegar al palco.*) Esas dos sillas son las suyas.

LA SEÑORA (*después de un rato*). ¿Quién hace el papel de sor Juana?

EL SEÑOR. Pues, esta actriz española que acaba de llegar: Esperanza Morales.

LA SEÑORA. Léame todo el reparto, por favor.

EL SEÑOR. No puedo, ya han apagado las luces. Ya se levanta el telón. Va a comenzar el primer acto.

Vocabulario adicional

el foro *backdrop*
la luneta general *back rows of the orchestra seats*
la platea *box at the back*
el drama *drama*
el entreacto *intermission*
los gemelos *opera glasses*
la comedia *play*
el dramaturgo *playwright*
el apuntador *prompter*
la escena *scene, stage*
la decoración *stage setting*

I. Contéstense las siguientes preguntas:

1. ¿ Qué película deseaba ver Delfina ? 2. ¿ Cuánto costó cada boleto para el cine ? 3. ¿ Por qué son mejores los palcos ? 4. ¿ Quiénes trabajan en la película con Linda Eres ? 5. Al fin, ¿ qué boletos compró el papá de Andrés ? 6. ¿ Qué hizo Andrés mientras Delfina fué por su sombrero ? 7. ¿ Llegaron tarde al teatro los señores Cárdenas ? 8. ¿ Por qué no pudo el señor Cárdenas leer el reparto a su esposa ? 9. ¿ Quién hace el papel de la protagonista en *Canción de cuna?* 10. ¿ Qué día de la semana le gusta a Ud. ir al cine ?

II. Aprenda de memoria el papel de uno de los personajes de la lección para representarlo con otros delante de la clase.

III. Traduzca al español:

1. During the intermission let's read the advertisements. 2. We don't want to see that picture; we have seen it already. 3. Please, may I have a program ? 4. There are too many people in the aisle. 5. Our seats are in the third row. 6. My favorite actor is Ricardo León. 7. They are going to lower the curtain. 8. I forgot my opera glasses. 9. Where is the exit, please ? 10. The orchestra is beginning to play. 11. What a pretty actress ! 12. Box seats are always more expensive.

31

EL RADIO

GUSTAVO. Al fin está compuesto el radio. Se le había fundido un tubo.

HORTENSIA. ¡Qué bueno! Vamos a poder oír mi programa predilecto en la estación XEM (equis–e–eme).

LA MAMÁ. El mío está a la misma hora en la XEN (equis–e–ene). Me gusta esta serie de dramas cortos.

EL PAPÁ. Yo quiero oír las noticias de la guerra que difunde la estación XEO (equis–e–o).

GUSTAVO. Pues, ¿qué hago entonces? ¿Qué estación pongo?

EL PAPÁ. Pues siempre gana su mamá. Localice en la escala 1010 (mil diez) kilociclos.

EL ANUNCIADOR. Está escuchando Ud. la estación radiodifusora XEN, la voz de la frontera, de la ciudad de Ríoazul, república de México. Este programa es transmitido por cortesía de la mueblería La Mexicana. Presentamos el drama de todos los domingos con los insignes actores Rosa Romero y Roberto Luna.

(*Por 15 [quince] minutos la familia Blanco escucha el drama.*)

LA MAMÁ. ¡Qué trágico!

HORTENSIA. ¡Qué emocionante!

GUSTAVO. ¡Qué bien se oyó con el nuevo tubo! Valió la pena comprar el más caro.

EL PAPÁ. ¡Qué tontería! No me gusta.

EL ANUNCIADOR. Le damos las gracias, amable auditorio, por la atención rendida a este programa, y le invitamos a oír el mismo programa que se transmitirá por esta estación, XEN, el domingo que entra a la misma hora. Le deseamos muy buenas noches.

OTRO ANUNCIADOR. La hora correcta le viene por cortesía de la joyería El Diamante. Cuando se oiga el primer toque serán las 9 (nueve) en punto, hora astronómica, o las 10 (diez) hora oficial de México.

GUSTAVO. Papá, no se oye bien su estación favorita. Hay mucha estática.

UN ANUNCIADOR. En este momento hay un incendio en la calle Libertad. Acuden los bomberos de todas las estaciones cercanas. Se cree que fué causado por la explosión de una botella de gasolina en la casa del señor Negrete. No se sabe qué pérdidas haya sufrido el dueño de la casa.

LA MAMÁ. ¡Qué desgracia! Vámonos ya a acostar.

Vocabulario adicional

el amplificador (el magnavoz) *amplifier*
la antena *antenna*
la corriente eléctrica *electric current*
la llave de la luz *electric-light switch*
el fusible *fuse*
aislar *to insulate*
el aislamiento *insulation*
el micrófono *microphone*
el radioescucha *radio listener*
el corto circuito *short circuit*

I. Contéstense las siguientes preguntas:

1. ¿Qué tenía el radio de Gustavo? 2. ¿Qué estación difunde noticias de la guerra? 3. ¿Por qué no se oye bien la estación que desea oír el papá? 4. ¿Qué pasaba en la calle Libertad? 5. ¿Qué causó el incendio? 6. ¿Por cortesía de quién se transmitió el programa de los actores Rosa Romero y Roberto Luna? 7. ¿Qué hora era cuando se oyó el anuncio de la joyería? 8. ¿Cuál es la

diferencia entre la hora astronómica y la hora oficial de México? 9. ¿En qué estación está el programa predilecto de Hortensia? 10. ¿Qué pérdidas sufrió el señor Negrete?

II. Aprenda de memoria el papel de uno de los personajes para representarlo con otros delante de la clase.

III. Traduzca al español:

1. I want some radio tubes. 2. Our radio is out of order. 3. I have come to fix the radio. 4. A fuse blew out. 5. Get XEO on the radio. 6. They need a microphone. 7. Where is the electric-light switch? 8. What did the announcer say? 9. The radio needs an antenna. 10. That station is not heard well; get another.

NOTE TO THE TEACHER: Let the students listen to a radio station in Mexico broadcasting in Spanish. After they have listened several times, let them write a short summary in English of the last program heard.

32

EL AVIÓN (EL AEROPLANO)

A.

EL SEÑOR VALDEZ. Voy otra vez a la compañía Panamericana de líneas aéreas. A ver si hay lugar en el hidroavión que sale hoy para Sudamérica.

LA SEÑORA VALDEZ. Averigüe si aterriza en la Habana. Yo quiero conocer esa linda ciudad.

EL SEÑOR VALDEZ. Vamos a ver. Regresaré lo más pronto posible.

B.

EL AGENTE DE BOLETOS. Buenos días, señor Valdez. Hoy tiene mejor suerte. Hay dos lugares en el avión que va a partir a las 6 (seis) de la mañana.

EL SEÑOR VALDEZ. Tendrá que pesar el equipaje hoy. ¿ No ?

EL AGENTE DE BOLETOS. Sí, señor. También la señora y Ud. se tendrán que pesar, porque vamos a volar sobre montañas.

EL SEÑOR VALDEZ. ¿ Cuántas libras nos corresponden ?

EL AGENTE DE BOLETOS. 18 (dieciocho) kilos y 70 (setenta) gramos, o 40 (cuarenta) libras, de equipaje por persona. 77 (setenta y siete) kilos y 30 (treinta) gramos, o 170 (ciento setenta) libras, como término medio por persona.

EL SEÑOR VALDEZ. Muchas gracias. Hoy a las 4 (cuatro) de la tarde la señora y yo vendremos con nuestro equipaje para que nos pese.

1
2
3
4
5
6
MÉXICO

C.

EL SEÑOR VALDEZ. Aquí estamos ya en el aeropuerto.

LA SEÑORA VALDEZ. ¿ Qué es ese edificio grande ?

EL SEÑOR VALDEZ. Pues es el hangar. Y esas luces grandes son los faros que indican donde aterrizar.

LA SEÑORA VALDEZ. ¿ Podemos pasar por aquella puerta para ver el avión por fuera ?

EL SEÑOR VALDEZ. Sí, si observamos las reglas. Lea los avisos.

LA SEÑORA VALDEZ. NO SE ADMITE. SE PROHIBE FUMAR AL OTRO LADO DE ESTA CERCA.

EL SEÑOR VALDEZ. Ese joven que está allá es el piloto.

LA SEÑORA VALDEZ. ¡ Ojalá que sepa guiar bien el avión !

EL SEÑOR VALDEZ. Pues no hay que tener miedo, porque lleva dos pilotos muy competentes.

LA SEÑORA VALDEZ. ¿ Va también una señorita encargada de atender a los pasajeros ?

EL SEÑOR VALDEZ. Pues, ¿ quién sabe ? Mire, se sube a este avión por una escalerita en vez de por una rampa.

LA SEÑORA VALDEZ. A ver si podemos subirnos ya para ver el avión por dentro antes de que suba la gente.

EL SEÑOR VALDEZ. ¿ Ya se puede subir, joven ?

EL GUARDA. Cuando guste, señor.

Vocabulario adicional

el campo de aviación *airfield*
el correo aéreo *air mail*
estrellarse *to crash*
el paracaídas *parachute*
la torre del radio *radio tower*
el cinturón de seguridad *safety belt*
el reflector *searchlight*

I. Contéstense las siguientes preguntas:

1. ¿ A dónde iban los señores Valdez ? 2. ¿ En qué van a viajar los señores Valdez ? 3. ¿ Qué ciudad desea conocer la señora

Valdez? 4. ¿A qué hora sale el avión? 5. ¿Cuántos pilotos lleva el avión? 6. ¿Cómo se sube a este avión? 7. ¿Cómo se llaman las luces grandes que indican donde aterrizar? 8. ¿Qué hay que hacer con el equipaje? 9. ¿Por qué se tienen que pesar los señores Valdez? 10. ¿Por qué desean subir al avión antes de que se suba la gente?

II. Aprenda de memoria el papel de uno de los personajes para representarlo con otros delante de la clase.

III. Traduzca al español:

1. I must leave immediately for Washington by plane. 2. Send this letter by air mail. 3. You need to weigh your baggage. 4. There is no plane today. 5. At what time does the plane leave? 6. Get me a reservation on today's plane. 7. Take me to the airport, please. 8. Where is the pilot? 9. Please call the stewardess. 10. May I get on now?

33

REPASO DE LAS LECCIONES 29–32

I. Escoja la palabra que no pertenezca a cada grupo:

1. la escoba, la limpieza, el cepillo, el trapo, el trapeador.
2. la galería, la luneta, la taquilla, el palco, la platea.
3. el telón, la escena, el foro, la decoración, la actriz.
4. el aviador, el acomodador, el acumulador, el anunciador, el protagonista.
5. la petaca, la butaca, la mecedora, el asiento, la silla.
6. sacudir, barrer, aterrizar, encerar, limpiar.
7. el radio, la máquina eléctrica de barrer, la corriente eléctrica, el teléfono, el refrigerador eléctrico.
8. el trapeador, el cómico, el protagonista, el estrella, el actor.
9. revisar, volar, facturar, registrar, pesar.
10. lavar, tapar, planchar, barrer, quitar el polvo.

II. Escoja de la lista A y de la lista B las palabras relacionadas:

A	B
el piso	volar
la radiodifusora	encender
el trapo	tirar
el hidroavión	encerar
los gemelos	tender
el faro	transmitir
el tubo	fundir
la ropa	atraer
la basura	ver
las moscas	quitar el polvo

III. Escoja de la lista A y de la lista B los sinónimos:

A	B
aeroplano	piloto
favorito	insigne
boleto	avión
aviador	hermoso
pasajero	billete
faro	predilecto
famoso	mojado
autor	foco
precioso	dramaturgo
húmedo	viajero

IV. Arregle las siguientes palabras en frases correctas:

1. patio, está, el, atrás, alambre, tendido, el, en, de.
2. semana, sí, no, lavamos, otra, ventanas, las, una, y.
3. vecindad, todas, de, estaciones, la, bomberos, las, los, de, acuden.
4. 9, se, cuando, serán, oiga, toque, el, las.
5. mejores, vale, comprar, la, asientos, pena.
6. mundiales, están, acontecimientos, en, ahorita, pantalla, la, los.

7. al, de, fumar, otro, la, prohibe, se, lado, cerca.
8. aeropuerto, hora, ya, irnos, de, es, al.
9. corral, en, tire, bote, la, el, el, en, basura.
10. la, ida, quiero, de, y, un, Habana, a, boleto, vuelta.

V. Traduzca al español:

1. two tickets for tonight's show. 2. How many pounds are we allowed? 3. to dust the furniture. 4. furniture polish. 5. the best seats. 6. this way, please. 7. It was worth while. 8. next week. 9. through the courtesy of. 10. inside and outside. 11. as soon as possible. 12. Turn the light on. 13. Iron carefully. 14. every other day. 15. Can you give the tickets to me now? 16. The program will be broadcasted. 17. We don't have our baggage. 18. I lost the keys. 19. The plane leaves at six in the morning. 20. Hang the clothes in the sun.

VI. Escriba al dictado lo que la maestra lea.

VOCABULARY

Español-Inglés

Inglés-*Español*

VOCABULARY

ESPAÑOL–INGLÉS

A

a at, to, on, by, in order to
abajo below; **de —,** lower
el **abanico** fan
el **abarrote** food; grocery
el **abogado** lawyer
abollado, -a dented
el **abrigo** coat, overcoat; shelter
abril April
abrir to open
la **abuela** grandmother
el **abuelo** grandfather
acabar to finish, end; **— de** + *inf.* have just
el **aceite** oil; **— de castor** castor oil
el **acelerador** accelerator
la **acequia** irrigation ditch
la **acera** sidewalk
acercar to bring, bring near; **—se** approach, draw near
el **acomodador** usher
acompañar to accompany
el **acontecimiento** event, happening
acortar to shorten
acostarse (ue) to go to bed, lie down
la **actividad** activity
la **actriz** actress
actual present-day
acudir to gather, come, collect
el **acumulador** storage battery
Adela Adele
adelante forward
la **adelfa** oleander flower
el **adelfo** oleander plant
adiós good-bye
adivinar to guess
el **adorno** decoration, ornament
la **aduana** customhouse
el **adulto** adult
aéreo, -a aerial
el **aeroplano** aeroplane
el **aeropuerto** airport
afable affable, approachable
afeitar to shave
afilar to sharpen
afligir to worry
aflija *pres. subj. of* **afligir**
aflojar to loosen
la **agencia** agency
el **agente** agent; **— de la aduana** customs officer; **— de migración** immigration officer; **— de publicacio-**

nes "newsbutch," newsboy; — **de tráfico** traffic officer
agosto August
agrio, -a sour; *see* **leche**
el **agua** (*f.*) water
el **aguacate** alligator pear, avocado
la **aguamarina** aquamarine
aguileño, -a aquiline
la **aguja** needle
el **agujero** hole
ahogarse to choke, drown
ahora now; — **mismo** right now
el **aire** air, wind; choke; **al — libre** in the open air
el **aislamiento** insulation
aislar to insulate
ajustar to settle, pay, adjust
al to the, on, at
el **ala** (*f.*) brim (*of a hat*); wing
la **alacena** cupboard, pantry
el **alambre** wire
el **álamo** cottonwood, poplar
alargar to lengthen
alborotador, -ora noisy, disturbing
la **alcoba** bedroom
Alejandro Alexander
el **alelí** stock (*flower*)
el **alfiler** straight pin
la **alfombra** large rug
Alfonso Alphonse
la **alforza** tuck
algo something, somewhat
el **algodón** cotton
alguno (algún), -a some
los **alicates** pliers
la **alimentación** food, nourishment
el **alimento** food
aliviar to cure, get well, alleviate
el **almíbar** syrup
la **almohada** pillow
alrededor de around
alto, -a high, tall
el **alto** halt, stop
el **alumno,** la **alumna** pupil
allá there, over yonder
allí there
el **ama** (*f.*) mistress; — **de casa** housekeeper
amable kind, amiable, pleasant
el **amanecer** dawn
la **amapola** poppy
amargo, -a bitter
amarillo, -a yellow
amarrar to fasten, tie
la **amatista** amethyst
la **americana** man's sack coat
el **amigo,** la **amiga** friend
el **amo** master
el **amplificador** amplifier
la **ampollita** blister
Ana Anna, Anne
anciano, -a old
ancho, -a wide
andar to walk, go
Andrés Andrew
Ángela Angela
la **angina** tonsil
angosto, -a narrow
el **anillo** finger ring; — **de compromiso** engagement ring; — **de matrimonio** wedding ring
anoche last night
el **anochecer** nightfall
la **antena** antenna
los **anteojos** eyeglasses, spectacles
anterior foregoing, former, previous
antes de before
el **anunciador** announcer
anunciar to advertise, announce
el **anuncio** advertisement
el **año** year

apagar to extinguish, turn off (*a light*)
apague *pres. subj. of* **apagar**
el **aparador** showcase, buffet
el **apetito** appetite
el **apio** celery
aplastar to flatten
aplicado, -a industrious, studious
aplicar to apply
aprehender to arrest
aprender to learn; — **de memoria** memorize
aprovechar to take advantage of, profit by
apuntar to write down, make a note of
apurarse to worry; hurry
aquel, aquella that
aquél, aquélla, aquello that
aquí here; **por —,** this way
el **árbol** tree; — **del volante** steering shaft
el **arete** earring
el **armario** cabinet
la **arracada** earring
arrancar to pull up (*a plant*) by the roots, jerk, start (*a car*) quickly
arreglar to arrange, fix
arriba above, up; **de —,** upper
el **artículo** article; — **de vestir** wearing apparel
asar to roast
aseado, -a neat, well-groomed
asentar (ie) to smooth
así thus, so, in that way
el **asiento** seat
la **asignatura** subject matter, subject, study
atender (ie) to pay attention to, assist
aterrizar to land (*said of an aeroplane*)
atraer to attract
atraiga *pres. subj. of* **atraer**
atrás behind, back; **de —,** back
atrasar to delay, be late
el **auditorio** audience
aunque although, even though
el **auto** automobile
el **automóvil** automobile
la **avena** oats, oatmeal
la **avenida** avenue
averiguar to ascertain, find out
averigüe *pres. subj. of* **averiguar**
el **avión** aeroplane
avisar to warn, announce, give notice
el **aviso** announcement, warning, notice
¡ ay ! ah, oh; **¡ ay de mí !** poor me!
ayer yesterday
el (la) **ayudante** helper, assistant
ayudar to help, aid, assist
el **azadón** hoe
el (la) **azúcar** sugar
la **azucarera** sugar bowl
la **azucena** lily
azul blue; — **marino** navy blue

B

la **babucha** bedroom slipper
bailar to dance
el **baile** dance
la **bajada** descent
bajar to lower, take down; **—se** descend, go down, get off (*a vehicle*)
bajo, -a low; under; short of stature
la **balanza** scales

el **balde** bucket
el **banco** stool, bench; bank
la **bandeja** waiter, tray, pan
el **banquero** banker
la **banqueta** sidewalk
bañar to bathe
el **baño** bath; — **de regadera** shower bath; — **de maría** double boiler
barato, -a cheap, inexpensive
la **barba** chin, beard
la **barbacoa** barbecue
bárbaro, -a rude, impolite, barbarous
la **barbilla** shape of face
el **barniz** varnish
la **barra** bar
barrer to sweep
bastante quite, enough, sufficient
la **bastardilla** *see* **letra**
la **bastilla** hem
la **basura** trash
la **batería de cocina** metal kitchen utensils
el **baúl** trunk
beber to drink
el **becerro** calf
el **betabel** beet
bien well; **está —, it's all** right
el **biftec** beefsteak
el **bigote** mustache
el **billete** ticket; bank **bill**
la **bisagra** hinge
blanco, -a white
el **blanquillo** egg
la **blusa** blouse
la **boca** mouth
la **bocacalle** street intersection
el **bocado** bite to eat, mouthful; — **del freno** bit (*of a bridle*)
la **bocina** horn (*of an automobile*); telephone receiver
la **bola** ball
el **boleto** ticket; — **de primera** first-class ticket; — **sencillo** one-way ticket; — **de ida y vuelta** round-trip ticket
la **bolsa** purse; stock exchange; — **de hule para agua caliente** hot-water bottle
el **bolsillo** pocket
el **bollo** loaf (*of bread*)
la **bomba** pump
el **bombero** fireman
la **bondad** kindness, goodness
bondadoso, -a kind
bonito, -a pretty
borracho, -a drunk
la **bota** boot
el **bote** can, bucket
la **botella** bottle
la **botica** drugstore
el **boticario** druggist
el **botiquín** medicine cabinet
el **botón** button; bud; — **de la luz** electric-light switch
el **brazalete** bracelet
el **brazo** arm
breve brief, short
el **bricabrac** bric-a-brac, knickknack
el **brillante** brilliant, rhinestone, diamond
brillar to shine, gleam, glisten
brioso, -a wild, frisky, spirited
la **brisa** breeze
la **brocha** (paint) brush
el **broche** brooch, pin, clip
bueno, -a good, fine; hello (*on the telephone*); *see* **día, noche, tarde**
el **búfalo** buffalo
la **bujía** spark plug
el **bulto** package, bundle
buscar to hunt for, seek, look for
la **butaca** armchair

C

el **caballo** horse
el **cabello** hair
el **cabestro** halter
la **cabeza** head
la **cabra** goat
la **cabritilla** kid leather
la **cachucha** cap
cada each
la **cadena** chain
caerse to fall; **cae la tarde** night falls
café brown
el **café** coffee; café
la **cafetera** coffeepot
la **caja** box; cashier's window
el **cajero,** la **cajera** cashier
la **cajetilla** carton
el **cajón** drawer
la **calabacita** squash
el **calcetín** sock
el **caldo** soup, broth
el **calentador** heater
la **calentura** fever
caliente hot
la **calificación** grade, classification
el **calor** heat
caluroso, -a hot
calvo, -a bald
el **calzoncillo** shorts (*underwear*)
la **calle** street
la **cama** bed; — **baja** lower berth; — **alta** upper berth
cambiar to change, exchange
el **cambio** change
la **camilla** stretcher
el **camino** road
el **camión** bus, truck
la **camisa** shirt; — **de dormir** nightgown, nightshirt
el **camote** sweet potato
el **campo** field, country
la **canasta** basket
la **canción** song; — **de cuna** lullaby, cradle song
el **candado** padlock
la **caoba** mahogany
el **capitán** captain
el **caporal** ranch foreman
la **cápsula** capsule
la **cara** face
el **carácter** temperament, personality
¡caramba! heavens! goodness!
el **carbón** coal, charcoal
la **cárcel** prison
la **carga** load, burden, freight
el **cargador** "red cap," baggage carrier
cargar to charge, load, burden; — **a la cuenta** charge on a bill
la **carne** meat; — **de puerco** pork; — **de res** beefsteak
el **carnero** mutton
la **carnicería** butcher's shop, meat market
el **carnicero** butcher
caro, -a expensive
el **carpintero** carpenter
el **carrete** spool
la **carretera** highway
la **carretilla** wheelbarrow
la **carrocería** body (*of a car*)
la **carta** letter
la **cartera** wallet
el **cartucho** cartridge
la **casa** house; **a —,** home; **en —,** at home; — **grande** landowner's house; — **mortuoria** mortuary, funeral home
casar to marry
casi almost
el **caso** case; *see* **hacer**
castaño, -a brown, chestnut
el **castellano** Spanish

el **catarro** cold, catarrh
católico, -a Catholic
el **caucho** rubber
la **causa** cause; **a — de** because of
cayó (**caer**) he, she, it, you fell
la **cazuela** kettle, deep pan
la **cebada** barley
la **cebolla** onion
la **ceja** eyebrow
la **celosía** Venetian blind
la **cena** supper
cenar to eat supper
el **centavo** cent
el **centeno** rye
el **centímetro** centimeter
la **central** telephone operator, central
el **centro** center, downtown, business district
el **cepillo** brush; plane; **— de dientes** toothbrush
la **cerca** hedge, fence
cerca near; **— de** near
cercano, -a near-by, neighboring
el **cerdo** pig, hog
el **cereal** cereal, breakfast food
la **cereza** cherry
cerrar (**ie**) to close, shut; **— de golpe** slam, shut with a bang
el **césped** turf
el **cesto de los papeles** wastebasket
la **cicatriz** scar
el **cielo** sky, heaven
cien one hundred
el **cigarro** cigarette
cincuenta fifty
la **cincha** cinch
el **cine** "movies," "movie" theater
el **cinematógrafo** moving-picture theater
la **cinta** tape, banding; **— de medir** tape measure
el **cinto** belt
la **cintura** waistline
el **cinturón** belt; **— de seguridad** safety belt
la **ciruela** plum, prune
el **cirujano** surgeon
la **ciudad** city
claro, -a light, clear
la **clase** class, sort, kind
el **clavel** carnation
el **clavo** nail
el (la) **cliente** client, customer
el **clima** climate
la **cobija** blanket
el **cobre** copper
cocer (**ue**) to cook
la **cocina** kitchen
cocinar to cook
el **coche** car, automobile; **— de primera** first-class coach (*of a train*); **— de segunda** second-class coach (*of a train*)
el **codo** elbow; sharp curve, bend
coger to pick up, take up, catch
el **cojín** cushion
la **col** cabbage
colgar (**ue**) to hang up
la **coliflor** cauliflower
Colón Columbus
el **color de rosa** pink
el **columpio** dip, swing
el **collar** necklace
la **comedia** play
el **comedor** dining room
comenzar (**ie**) to commence, begin
comer to eat
el **comestible** food
cometer to commit
el **cómico** comedian

la **comida** meal, food
la **comisaría** police court; precinct
como as, like, since
¿ cómo ? how ? **¿ a — estamos ?** what is the date ? **¿ — no ?** certainly, of course, why not ? **¿ — está Vd. ? ¿ — le va ?** how are you ?
la **cómoda** dresser, chiffonier
el **compañero** companion, friend
la **compañía** company
competir (i) to compete
completamente completely
completar to complete
completo, –a complete
componer to fix, repair; compose
componga *pres. subj. of* **componer**
la **compra** purchase
el **comprador, –ora** buyer, purchaser
comprar to buy, purchase
el **compromiso** date, engagement, appointment
compuesto, –a mixed, composed; fixed, repaired
con with
conducir to conduct, lead
conectar to connect
conmigo with me
conocer to know, be acquainted with
conozca *pres. subj. of* **conocer**
consentir (ie, i) to consent; spoil, pet
constar to consist, be composed
construir to build, erect, construct
el **consulado** consulate
la **consulta** consultation
el **consultorio** doctor's office
contado: al —, cash
contento, –a satisfied, happy
contestar to answer
continuar to continue
contra against
el **contrario** contrary, antonym, opposite
la **contumacia** contempt of court
la **conversación** conversation
la **copa** crown (*of a hat*); goblet
el **corazón** heart
la **corbata** necktie
el **cordero** lamb
el **coronel** colonel
el **corral** back yard, stock pen, corral
la **correa** leather strap
el **correo** post office; mail; **— aéreo** air mail
correr to run
corresponder to correspond; assign, belong to
la **corrida de toros** bullfight
la **corriente** current
la **cortadora de césped** lawn mower
cortar to cut
cortés polite
la **cortesía** courtesy, politeness
cortésmente politely
la **cortina** window drapery, lace curtain
corto, –a short
la **cosa** thing
la **cosecha** crop, harvest
cosechar to reap
coser to sew, stitch
el **cosmético** cosmetic
costar (ue) to cost
la **costilla** rib
costoso, –a costly, expensive
la **costura** sewing, seam
la **costurera** dressmaker
el **cráneo** skull
crecer to grow, increase

creer to believe, think
la **crema** cream, lotion, pomade
el **crepé** crepe
el **crepúsculo** dusk, twilight
la **criada** maidservant
el **criado** manservant
el **cristal** crystal, glass, glassware
la **cristalera** china cabinet
criticar to criticize
el **cruce** crossing
crudo, -a raw
la **cuadra** block; stable
la **cuadrilla** quarters for the cowboys and farm hands
el **cuadro** picture; check (*in the design of material*), square; — **de flores** flower bed
cual: el —, la — (los cuales, las cuales) which
¿ cuál ? which ?
cualquier any, whatever
cuando when; — **menos** at least
¿ cuándo ? when ?
¿ cuánto, -a ? how much ? **¿ cuántos, -as ?** how many ?
cuarenta forty
la **cuarta** quart
cuarto, -a fourth
el **cuarto** room; quart; quarter; — **de baño** bathroom
cubierto (**cubrir**) covered
el **cubierto** cover; knife, fork and spoon; place at table
el **cubo** bucket, tub, vat
cubrir to cover
la **cuchara** spoon; trowel
la **cucharita** teaspoon
el **cuchillo** knife
cuelgue *pres. subj. of* **colgar**
el **cuello** neck, collar
la **cuenta** bill, account, count; bead
el **cuero** leather
el **cuerpo** body
cueza *pres. subj. of* **cocer**
el **cuidado** care, caution
cuidadosamente carefully
cuidar to care for, be careful about
la **culpa** blame, guilt
culpable guilty
la **cuna** cradle
la **cuñada** sister-in-law
el **cuñado** brother-in-law
la **curación** cure, treatment
curar to cure
curativo, -a curative
cursar to study, take a course

Ch

el **chabacano** apricot
la « **chaise-longue** » chaise longue, long chair
el **chaleco** vest
el **champiñón** mushroom
la **chaqueta** jacket
el **charol** patent leather
la **charola** tray
charro, -a rural, equestrian; *see* **fiesta**
chato, -a pug-nosed, flat-nosed
el **chicle** chewing gum
chico, -a small
el **chícharo** pea; — **de olor** sweet pea
el **chile** chili (*pepper*)
la **chimenea** fireplace, chimney
la **chispa** starter; spark
chocar to collide
el **chofer** chauffeur
el **choque** collision
chueco, -a crooked, twisted, bent
la **chuleta** chop

D

dar to give, strike; — **en** strike, hit; — **la vuelta** turn, make a turn; — **a** open on, face; — **la mano** shake hands; — **las gracias** thank; **el sol da** sun shines *or* sun strikes; —**se** grow

el **dato** fact, datum

de of, from, about

dé *pres. subj. of* **dar**

debajo de under, below

deber to owe, ought, must

decente well-mannered, first-class, decent

décimo, –a tenth

decir to say, tell; — **al oído** whisper

la **declaración** declaration; proposal of marriage

declarar to declare; propose marriage

la **decoración** stage setting

el **dedo** finger; toe

la **defensa** bumper

la **dejada** putting down, leaving; trip

dejar to leave, put down

delante in front; — **de** in front of

delantero, –a front

Delfina Delphine

delgado, –a slender, slim, thin

deliciosamente delightfully

demás rest, others, remainder

demasiado, –a too, too much

demostrar (ue) to show, demonstrate

la **dentadura** set of teeth

el **dentista** dentist

dentro inside; **por —,** from inside, inside; — **de** within, inside of

el (la) **dependiente** clerk, salesperson

el **deporte** sport

derecho, –a right; direct, straight, straight ahead; **a la derecha** on the right, to the right

el **derecho** duty, tax, right

el **desarmador** screw driver

el **desastre** disaster

el **desayuno** breakfast

descansar to rest

el **descanso** rest

descompuesto, –a out of order, spoiled

describir to describe

la **descripción** description

descrito (describir) described

descubrirse to take off one's hat

desde from, since

desear to want, wish, desire

la **desgracia** misfortune

desherbar (ie) to pull up weeds *or* grass

el **desierto** desert

desinfectante disinfectant

desinfectar to disinfect

despacio slowly

el **despacho** office; dispatch

despedirse (i) to say goodbye, take leave (of)

la **despensa** pantry

después afterwards, later; — **de** after

destilado, –a distilled

el **destornillador** screw driver

la **desviación** detour

detenerse to stop

detenga (deténgase) *pres. subj. of* **detener(se)**

detrás behind; — **de** in back of, behind

el **día** day; **buenos días** good day, good morning

el **diálogo** dialog, conversation
el **diamante** diamond
diario, –a daily
el **dibujo** drawing, print, design, pattern
diciembre December
dictar to dictate; **al dictado** at dictation
el **diente** tooth
dieron (**dar**) they, you gave
la **diferencia** difference
difícil difficult
la **difteria** diphtheria
difundir to broadcast
diga *pres. subj. of* **decir**
dijo (**decir**) he, she, you, it said
el **dinero** money
dió (**dar**) he, she, you, it gave
Dios God
dirá (**decir**) he, she, you will say
la **dirección** address, direction
el **directorio** directory
dispensar to excuse
distinguir to distinguish
distinto, –a different
el **dobladillo** hem
doblar to double, fold
la **docena** dozen; **media —,** half a dozen
el **dólar** dollar
doler (**ue**) to ache, hurt, pain
el **dolor** ache, pain; **— de espalda** backache; **— de cabeza** headache; **— de estómago** stomach-ache; **— de muelas** toothache
domar to tame
el **domicilio** residence
el **domingo** Sunday
donde where
¿ dónde ? where?
dorado, –a gilded, golden
dormir (**ue, u**) to sleep
doscientos, –as two hundred
el **drama** drama
el **dramaturgo** playwright
la **droguería** drugstore
el **droguero** druggist
el **dueño,** la **dueña** owner
el **dulce** dessert, piece of candy; **los dulces** candy
el **durazno** peach

E

e and (*before* **i** *or* **hi**)
la **edad** age
el **edificio** building
educado, –a reared, bred, brought up
el **eje** axle
el **ejemplo** example
el **ejercicio** exercise
el **ejército** army
el **ejote** green bean
el the
eléctrico, –a electric
elegante fashionable, stylish, elegant
Elena Helen
Elisa Eliza, Elsie
el **elote** green corn
ella she, it
embargo: sin —, nevertheless
el **embrague** clutch
emocionante moving, effective, emotional
el **emparedado** sandwich
empezar (**ie**) to begin
el **empleado,** la **empleada** employe(e), clerk
en in, on, at, within
el **encaje** lace
encantar to charm, enchant, thrill
encarcelar to imprison
encargar(**se**) to take charge, be in charge of

encender (**ie**) to light, turn on a light
encerar to wax
encima de over, on top of, above
encontrar (**ue**) to find, encounter, meet
enero January
la **enfermedad** illness, disease, sickness
la **enfermera** nurse
enfermo, -a sick, ill
enfrente facing, front
la **enredadera** vine
Enrique Henry
la **ensalada** salad
ensartar to thread
ensayar to practice, rehearse
enseñar to show, teach
ensillar to saddle
entallado, -a tight-fitting
enterarse to become aware, inform oneself
entero, -a entire, whole
entonces then
la **entrada** entrance door; entrance price, entrée
entrante next, coming, entering
entrar to enter, come in; **ver —**, see enter
entre between, among
el **entreacto** intermission
entregar to deliver, hand over
entregue *pres. subj. of* **entregar**
envolver (**ue**) to wrap up, envelop
el **equipaje** baggage
equis (the letter) X
era (**ser**) he, she, you, it was
la **erupción** rash, eruption
es (**ser**) he, she, you, it is
esbelto, -a slender, svelte
la **escala** stop; scale, dial
la **escalera** ladder, stairway; **— de mano** step ladder
escarbar to dig
la **escena** scene, stage
la **escoba** broom
escoger to choose, select
escoja *pres. subj. of* **escoger**
escolar scholastic
escribir to write
escrito (**escribir**) written
el **escritorio** writing desk
escuchar to listen
la **escuela** school; **— secundaria** high school
escupir to spit
ése, ésa that
ese, esa, eso that; **a eso de las tres** about three o'clock
el **esmalte** enamel
la **esmeralda** emerald
la **espalda** back
el **espantapájaros** scarecrow
español, -ola Spanish
el **español** Spanish; Spaniard
el **espárrago** asparagus
especial special
el **especialista** specialist
el **espejo** mirror
la **esperanza** hope
esperar to wait, hope, expect
la **espinaca** spinach
la **espinilla** pimple
la **esposa** wife
el **esposo** husband
la **espuela** spur; larkspur
el **esputo** sputum
la **esquina** corner (*of the street*), outside corner (*of anything*)
está (**estar**) he, she, you, it is; **— bien** it's all right
la **estación** station; season
estacionarse to park, stand
el **estado** state, condition
los **Estados Unidos** United States
estar to be; **— de moda**

be in style; — **conforme** agree; — **de sobremesa** sit at table and chat after a meal; — **por** + *inf.* be about to; **¿a cómo estamos?** what is the date?
la **estática** static
la **estatura** stature, height
el **este** east
éste, ésta this
este, esta, esto this
esterilizado, -a sterilized, medicated
el **estilo** style, type
el **estómago** stomach
estornudar to sneeze
el **estornudo** sneeze
estos, estas these
éstos, éstas these
estoy (**estar**) I am
estrecho, -a narrow
la **estrella** star; **el (la) — de la pantalla** film star
estrellarse to crash, break into small pieces; *see* **huevo**
estrenar to show for the first time
el **estreno** première, first performance
el **estribo** running board; stirrup
estudiar to study
el **estudio** study, studio
la **estufa** stove
estuvieron (**estar**) they, you were
examinar to examine
el **exceso** excess
el **excusado** water closet (*W. C. in Europe and South America*), toilet
expedir (**i**) to send
expreso, -a express
extender (**ie**) to extend
la **extremidad** extremity
el **extremo** end

F

la **fábrica** factory
facturar to check (*baggage*)
la **faja** girdle, corset; sash
la **falda** skirt; slope (*of a hill*)
la **falta** lack, error, mistake; **sin —**, without fail
faltar to fail, miss, lack; **faltan 13 para las 8** it's 13 minutes to 8 o'clock
fallar to fail, miss (*said of a motor or engine*)
el **familiar** relative
la **farmacia** pharmacy, drugstore
el **faro** beacon light
el **favor** favor; **por —**, please
febrero February
la **fecha** date
Federico Frederick
la **felicidad** happiness; **las felicidades** congratulations
felicitar to congratulate
feo, -a ugly
la **ferretería** hardware store
el **ferretero** hardware dealer
el **ferrocarril** railroad
la **fianza** bond, bail; **bajo —**, under bond, on bail
la **fiebre** fever; — **escarlatina** scarlet fever; — **amarilla** yellow fever
el **fieltro** felt
la **fiesta** celebration, party; — **charra** cowboy contests in roping and throwing animals
fijar to notice, fix attention
la **fila** row
el **filete** filet, steak
el **fin** end; — **de fiesta** special performance after the play (*in the theater*); **en —**, shortly, in short; **por —**, **al —**, at last, finally

la **firma** signature
firmar to sign
fiscal fiscal, governmental
físico, -a physical
flaco, -a thin, skinny, lean
el **fleco** fringe, bangs
la **flor** flower
floreado, -a flowered
la **florería** florist's shop
el **florero** vase
el **foco** light globe
el **fondo** slip, petticoat
el **foro** background, backdrop (*on the stage*)
el **forraje** fodder, feed
el **forro** lining; — **para el mueble** furniture cover
la **frambuesa** raspberry
francés, -esa French
el **francés** Frenchman; French
la **franela** flannel
el **frasco** bottle, jar
la **frase** phrase, sentence
fregar (**ie**) to scrub
freír (**i**) to fry
frenar to brake, apply brakes
el **freno** brake, bridle
la **frente** forehead
la **fresa** strawberry
fresco, -a fresh, cool
el **frijol** bean
frío, -a cold
frito, -a fried
la **frontera** border, frontier
fruncir to ruffle, frown
la **fruta** fruit
fué (**ir** *or* **ser**) he, she, it went *or* was
fuera *imp. subj. of* **ser** *or* **ir**
fuera outside; **por —,** on the outside
fueron (**ir** *or* **ser**) they *or* you went, were
fuerte strong, vivid, loud
fumar to smoke
la **función** showing, performance, function; — **de gala** gala *or* special performance
fundirse to burn out (*fuse or light globe*)
el **fusible** fuse
el **fútbol** sport of football

G

la **gabardina** gabardine
la **galería** balcony (*of a theater*)
el **galón** gallon
la **galleta** cracker, biscuit
el **ganado** stock (*animals*); — **vacuno** cattle; — **lanar** sheep; — **mular** mules; — **cabrío** goats; — **de cerda** pigs
ganar to win, gain, earn; — **la vida** earn a living
el **gancho** hook, coat hanger
la **ganga** bargain
la **gardenia** gardenia
la **garganta** throat
el **gas** gas
el **gato** cat
el **gemelo** twin; **los gemelos** opera glasses
el **gendarme** policeman
general general, usual; **por lo —,** generally
el **género** cloth, material, piece goods
la **gente** people
el **gerente** manager
el **golpe** blow, hit
la **goma** rubber, rubber tire
gordo, -a fat
la **gorra** cap
la **gota** drop; gout
el **gozne** hinge
las **gracias** thanks
gracioso, -a graceful; cute

el **grado** degree, grade
el **gramo** gram
grande large, big, great; loose-fitting
el **grano** grain
la **grasa** grease; shoe polish
grasoso, -a greasy
grave grave, serious
el **grifo** faucet
gris gray
gritar to shout, scream
grueso, -a thick, fat
el **grupo** group
Guadalupe *boy's or girl's name*
el **guajolote** turkey
el **guante** glove
guardar to keep, guard, put away
el **guardarropa** closet
güero, -a blond
la **guerra** war
guiar to guide, run (*a machine*), drive (*a car*)
Guillermo William
guisar to fry
gustar to be pleasing to, like; taste
Gustavo Gustave
el **gusto** pleasure, taste, desire; **con mucho —,** with pleasure

H

la **Habana** Havana
haber to have (*auxiliary verb*); **— que** have to
había there was, there were
la **habilidad** skill, ability
hablar to speak, talk; **de habla española** Spanish-speaking
el **hacendado** large landowner
hacer to do, make; **hace aire** it is windy; **hace viento** it is windy; **— alto** halt, stop; **hace años** years ago, a long time ago; **— calor** be warm weather; **— caso** notice, pay attention; **— frío** be cold weather; **— el papel** play the part; **— polvo** be dusty weather; **— una pregunta** ask a question; **— la receta** fill the prescription; **— buen (mal) tiempo** be good (bad) weather; **hace poco (mucho) tiempo** a short (long) time ago; **no le hace** it doesn't matter; **¿qué le hace?** what difference does it make?
la **hacienda** plantation, estate
haga *pres. subj. of* **hacer**
el **hambre** (*f.*) hunger
el **hangar** hangar
hará (**hacer**) he, she, you, it will make *or* do
haré (**hacer**) I shall make, do
hasta until, up to, as far as, unto; **— luego, — la vista** good-bye
hay there is, there are; **no — de qué** you are welcome; **— lodo** it is muddy; **— que** one must
haya *pres. subj. of* **haber**
la **hebilla** buckle
la **hectárea** hectare (*2.47 acres*)
hecho (**hacer**) made, done
el **helado** ice cream
helado, -a iced, frozen
el **helecho** fern
la **hemorragia** hemorrhage
el **heno** hay
la **herida** wound
el **herido** wounded person, injured person
herir (**ie, i**) to wound, hurt

la **hermana** sister
el **hermano** brother
hermoso, -a beautiful, handsome
el **herradero** branding
herrar (ie) to brand (*cattle*)
hervir (ie, i) to boil
hice (**hacer**) I made, I did
el **hidroavión** hydroplane
la **hiedra** ivy
el **hielo** ice
el **hierro** iron (*metal*)
el **hígado** liver
la **hija** daughter
el **hijo** son
el **hilo** thread
hilvanar to baste
hizo (**hacer**) he, she, you, it made *or* did
la **hoja** blade; leaf, sheet (*of paper*)
el (la) **hojaldre** layer cake
el **hombre** man
el **hombro** shoulder
hondo, -a deep
la **hora** hour, time; — **oficial** daylight-saving time; **¿ qué — es ?** what time is it? **¿ a qué — ?** at what time?
el **horno** oven; **al —,** baked
Hortensia Hortense
hoy today
hubo there was, there were; **¿ qué — ? ¿ qué húbole ?** hello, how goes it?
el **hueso** bone, stone (*of a fruit*)
el (la) **huésped** guest
el **huevo** egg; **los huevos pasados por agua** soft-boiled eggs; **los huevos revueltos** scrambled eggs; **los huevos estrellados** fried eggs
el **hule** rubber
húmedo, -a damp, wet, humid

I

iba (**ir**) I, he, she, you, it was going, used to go
la **ida** going
el **idioma** language
igual equal
igualmente equally; "the same to you"
el **ileso,** la **ilesa** uninjured person
imaginarse to imagine
imponer to impose
importado, -a imported
el **importe** import duty
el **incendio** burning, fire
inclinar to bend, incline; **—se** bow, bend over
indicar to indicate
Inés Inez
inferior under, lower, inferior
inflamado, -a inflamed
la **infracción** breaking of a law; — **bola** not going around the button in the center of the street
el **infractor** lawbreaker
el **ingeniero** civil engineer, mechanical engineer
inglés, -esa English
el **inglés** Englishman, English
inmediatamente immediately
inmóvil immovable
el **inodoro** water closet, toilet
insigne famous, outstanding, illustrious
insoportable insufferable, unendurable
interesar to interest
inverso, -a inverse
el **invierno** winter
el **invitado,** la **invitada** guest
invitar to invite
la **inyección** injection

ir to go; **¿cómo le va?** how are you? **van de compras** they go shopping; **—se** leave, go away
irrompible unbreakable
izquierdo, -a left; **a la izquierda** at the left, on the left

J

el **jabón** soap; **— de tocador** toilet soap
la **jabonera** soap dish
Jaime James
la **jalea** jelly
jamás never, ever
el **jamón** ham; el **— cocido** boiled ham
el **jarabe** syrup; **— tapatío** *Mexican folk dance*
el **jardín** garden
el **jardinero** gardener
la **jarra** pitcher
el **jefe** boss, chief, head
el **jitomate** tomato
Jorge George
el (la) **joven** young man; young woman
la **joya** jewel, gem
la **joyería** jewelry store
el **joyero** jeweler
judío, -a Jew, Jewish
el **juego** set, game; **— de tocador** dresser set, toilet set; **— de té** tea set
el **jueves** Thursday
el **juez** judge
el **jugo** juice; **— de uva** grape juice; **— de naranja** orange juice
el **juguete** toy
julio July
junio June
juntarse to gather, come together
junto together, next
el **juzgado** court

K

el **kilo** kilogram (*2.2 lbs.*)
el **kilociclo** kilocycle
el **kilómetro** kilometer ($\frac{5}{8}$ *of a mile*)
el **klaxon** horn (*of an automobile*)

L

la the, her, it, you (*fem.*)
el **labio** lip
el **lado** side
el **ladrillo** brick
el **ladrón** thief
la **laguna** lake
la **lámpara** lamp; **— de pie** floor lamp
la **lana** wool
largo, -a long
la **lata** tin can
lateral lateral, at the side
el **látigo** whip, quirt
el **lavadero** sink
el **lavamanos** wash basin, lavatory
lavar to wash
lazar to lasso
el **lazo** lasso, rope
le to him, to her, to you, for him, for her, for you
la **lección** lesson
la **leche** milk; **— agria** buttermilk
la **lechuga** lettuce; head of lettuce
leer to read
lejos far, far away; **a lo —,** in the distance
la **lengua** tongue, language
los **lentes** spectacles, eyeglasses
la **leña** firewood

les to them, to you, for them, for you
la **letra** letter of the alphabet, words of a song, handwriting; **en — bastardilla** in italics
levantar to lift, pick up, raise; **— la mesa** clear the table; **—se** get up
leyeron (**leer**) they, you read
la **libra** pound
libre free, open
el **libro** book
la **licencia** license
la **liga** garter, rubber band; league
la **lima** file; lime
el **limón** lemon
el **limpiador** dish towel, wiper
limpiar to clean
la **limpieza** cleaning, cleanliness
limpio, -a clean, dressed (*fowl*)
lindo, -a lovely, beautiful
la **línea** line
el **lino** linen
el **linóleo** linoleum
liso, -a plain, without a pattern *or* figure (*cloth*)
la **lista** menu, list
listo, -a ready, clever; hello (*on the telephone*)
el **litro** liter (*about 1 qt.*)
lo it, him, you (*mas.*)
localice *pres. subj. of* **localizar**
localizar to locate, find, dial (*a radio*)
la **locomotora** engine, locomotive
el **lodo** mud
la **lona** canvas
lo que that which, what
los them, you; the
luego then, afterwards, later; **hasta —**, good-bye
el **lugar** place, town
lujoso, -a luxurious
la **luna** moon; **— de miel** honeymoon
el **lunar** mole, blemish (*on skin*)
el **lunes** Monday
la **luneta** orchestra section (*in a theater*); **— de preferencia** first few rows (*in a theater*); **— general** back rows of the orchestra seats (*in a theater*)
Lupe *name of a person*
lustroso, -a lustrous, shiny
la **luz** light

Ll

la **llaga** sore, wound
llamar to call; **¿cómo se llama Vd.?** what is your name? **—se** be named
la **llanta** automobile tire
la **llave** key, faucet; **— de la luz** electric-light switch
el **llavero** key ring
llegar to arrive, come, reach
llegue *pres. subj. of* **llegar**
llenar to fill
lleno, -a full
llevar to carry, wear, bear, take
llover (**ue**) to rain
la **lluvia** rain

M

el **machete** big knife
la **madera** wood, lumber
la **madre** mother
la **madreselva** honeysuckle
la **madrugada** dawn
la **maestra** teacher
el **magnavoz** amplifier
el **maíz** corn
mal badly, poorly

la **maleta** suitcase, traveling bag
malo, -a bad, sick
la **mamá** mother
la **manada** flock, herd
la **mancha** stain
manchar to stain
mandar to send; command
manejar to drive (*a car*), run (*a machine*), handle
la **manga** sleeve
el **mango** handle
la **manguera** hose (*for water*)
la **mano** hand; **a —,** by hand
el **manojo** bunch
manso, -a gentle, tame, broken
la **manta** blanket
la **manteca** lard
el **mantel** tablecloth
la **mantequilla** butter
la **manzana** apple
mañana tomorrow
la **mañana** morning; **de la —,** A.M.; **por la —,** in the morning
la **máquina** machine, motor, locomotive; **— de coser** sewing machine; **— eléctrica para barrer** vacuum cleaner; **— de escribir** typewriter
la **marca** brand, trademark
el **marco** frame
el **marfil** ivory
la **margarita** daisy
marino, -a marine; *see* **azul**
el **mármol** marble
Marta Martha
el **martes** Tuesday
el **martillo** hammer
marzo March
más more, most
la **máscara** mask
la **materia** subject matter, subject, study
máximo, -a maximum
mayo month of May
la **mayonesa** mayonnaise
mayor larger, greater, major, largest, older, oldest, greatest; **al por —,** wholesale, at wholesale
me me, to me, for me
el **mecate** rope
la **mecedora** rocking chair
la **media** stocking, hose
mediano, -a medium
la **medianoche** midnight
el **médico** doctor
la **medida** measure, measurement
el **medidor** gauge
medio, -a half, average, middle
el **medio** middle, mean, means, average; **en —,** middle, in the middle
el **mediodía** midday, noon
medir (i) to measure; **—se** try on (*clothes*)
la **mejilla** cheek
mejor better, best
mejorar to improve, better
el **melocotón** peach
el **melón** cantaloupe
la **memoria** memory
el (la) **menor** minor, child; **al por —,** retail, at retail; **— de edad** minor (*person*)
menos less; **cuando —, por lo —,** at least
el **mentón** shape of the face
mero, -a mere, precise, exact
el **mes** month
la **mesa** table
la **mesera** waitress
el **mesero** waiter
meter to put, place
el **metro** meter (*39.37 inches*)
la **mezcla** mortar
mi my

mí me (*always used with a preposition*)
el **micrófono** microphone
el **miedo** fear
el **miembro** member
mientras while; — **tanto** meanwhile
el **miércoles** Wednesday
la **migración** migration
mil one thousand
la **milla** mile
el **mimbre** willow tree; wicker
minero, –a mining
mío, –a my, of mine
mira *familiar command of* **mirar**
mirar to look at
la **miscelánea** miscellany
mismo, –a same, self; **ahora —,** right now
la **mitad** half
mixto, –a mixed
la **moda** mode, fashion, style
moderar to moderate
módico, –a moderate
la **modista** dressmaker, designer, modiste
mojado, –a moist, damp, wet
mojar to moisten, dampen, wet
el **molde** pattern, mold
el **momento** moment
la **moneda** coin
la **montaña** mountain
montar a caballo to ride a horse, ride horseback, mount
moreno, –a brunette
la **morfina** morphine
el **mosaico** tiles, mosaic
la **mosca** fly
el **mostrador** showcase
mostrar (ue) to show
la **motocicleta** motorcycle
mover (ue) to move
el **mozo** manservant, waiter; — **del pullman** Pullman porter
la **muchacha** girl, child
el **muchacho** boy, child
muchísimo, –a very much
mucho, –a much, a great deal
el **mueble** (piece of) furniture
la **mueblería** furniture store
la **muela** molar tooth
el **muelle** metal spring
el **muerto** corpse, dead person
la **muestra** sample
el **muestrario** jeweler's tray
la **mujer** woman
la **mula** mule
la **muleta** crutch
la **multa** fine
multar to fine
mundial worldly
la **muñeca** wrist; doll
muy very

N

el **nabo** turnip
nacer to be born
la **nacionalidad** nationality
nada nothing; **de —,** you are welcome; — **más** nothing else, that is all
la **naranja** orange
la **nariz** nose, nostril
nativo, –a native
la **navaja** pocketknife; razor
necesitar to need
necio, –a foolish, petulant, annoying
negro, –a black
el **neumático** automobile tire
nevar (ie) to snow
ni neither; **ni . . . ni** neither . . . nor
ninguno (ningún), –a no, none
la **niña** girl, child

la **niñez** childhood
el **niño** boy, child
no no, not
la **noche** night, evening; **buenas noches** good evening, good night
el **nogal** walnut tree
nombrar to name, mention
el **nombre** name
el **norte** north
nos us, to us, for us, ourselves
la **noticia** news item, news
novecientos, –as nine hundred
noveno, –a ninth
noventa ninety
la **novia** bride, sweetheart
noviembre November
el **novillo** yearling
el **novio** bridegroom, sweetheart
nublado, –a cloudy
nublarse to get cloudy
la **nuera** daughter-in-law
nuestro, –a our
nuevo, –a new
la **nuez** nut
el **número** number
nunca never

O

o or
obedecer to obey
obligatorio, –a required, obligatory
obscuro, –a dark
octavo eighth
octubre October
ocupado, –a busy, occupied
ochenta eighty
el **oeste** west
el **oído** inner ear
oiga *pres. subj. of* **oír**
oír to hear
el **ojal** buttonhole
ojalá que oh, that; I hope that
el **ojo** eye
la **oliva** olive
olvidarse to forget
la **olla** pot, kettle
el **ómnibus** bus
el **ondulado** wave (*of hair*); — **permanente** permanent wave
el **ópalo** opal
opuesto, –a opposite, contrary
el **orden** sequence, order, arrangement
la **orden** command, order, use
ordenar to order, command
la **oreja** ear
la **orilla** edge, border, shore, bank
el **oro** gold
la **orquesta** orchestra
la **orquídea** orchid
el **otoño** autumn, fall
otro, –a other, another
ovalado, –a oval
la **oveja** sheep
oye (**oír**) he, she, you, it hears
oyó (**oír**) he, she, you, it heard

P

Pablito Paul
el (la) **paciente** patient
el **padre** father; los **padres** parents
pagar to pay; — **al contado** pay cash
pague *pres. subj. of* **pagar**
la **paja** straw
el **pajar** straw stack
la **pala** shovel
la **palabra** word
la **palanca de velocidades** gearshift

el **palco** box (*in a theater*)
la **palma** palm
el **paludismo** malaria
el **pan** bread, loaf of bread
Pancho Frank
el **pantalón** trouser
la **pantalla** screen for projecting moving pictures
la **pantufla** bedroom slipper
el **paño** woolen cloth *or* material; — **fino** broadcloth; — **de lana de varios colores** tweed
el **pañuelo** handkerchief
la **papa** Irish potato
el **papá** father
el **papel** paper; part in a play, role
el **paquete** package, carton
el **par** pair
para for, to, in order to, for the purpose of; — **que** so that
el **parabrisas** windshield
el **paracaídas** parachute
la **parada** stop
parar to stop
parecer to seem, appear, be like; **me parece** it seems to me; **¿ qué le parece ?** what do you think of it ?
la **pared** wall
la **pareja** couple, pair
el **parque** park
la **parrilla** grill; gridiron; **a la** —, broiled
la **parte** part; **¿ de — de quién ?** who ? from whom ? what is your name ? (*at the telephone*)
particular private
partir to depart, leave
pasado, –a past; spoiled
el **pasajero** passenger
el **pasaporte** passport
pasar to pass, spend (*time*); **¿ qué le pasa ?** what is the matter ?
pasear to stroll, go for a walk *or* ride
el **pasillo** hall, passage, aisle
el **paso** pass, step, pace
la **pasta** paste; — **para los dientes** tooth paste
el **pastel** pie, pastry
el **pastelito** individual cake
el **pasto** grass, pasture
el **patio** open courtyard
el **patrón** dress pattern; patron, landlord
pavimentado, –a paved
el **pavimento** pavement
el **pavo** turkey
el **pecho** chest, breast
el **pedazo** piece
pedir (**i**) to ask for, request; — **prestado** to borrow
la **película** film
el **peligro** danger
el **pelo** hair
la **pena** grief, sorrow
el **pensamiento** pansy; thought
pensar (**ie**) to think
Pepe (*short for* **José**) Joe
el **pepino** cucumber
pequeño, –a small, little
la **pera** pear
la **percha** rack
perder (**ie**) to lose
la **pérdida** loss
perdonar to pardon, excuse
el **perfil** profile
la **perilla** knob
el **periódico** newspaper
el **periquito** parrot; *boy's pet name*
perjurar to perjure
la **perla** pearl
el **permiso** permission, permit; **con su** —, excuse me
el **perno** bolt

pero but
el **perro** dog
la **persiana** window shade
la **persona** person
el **personaje** character (*in a play or novel*)
pertenecer to pertain, belong
pertenezca *pres. subj. of* **pertenecer**
pesar to weigh; **a — de** in spite of
el **pescado** fish
el **peso** weight; peso
la **pestaña** eyelash
la **petaca** trunk
picado, –a flat, spoiled
picante hot with pepper, piquant
picar to prick, puncture, stick with any sharp instrument
el **pie** foot; **al — de la letra** literally, to the letter
la **piedra** stone, rock, gem
la **piel** skin, hide, fur; **— de suecia** suede
la **pierna** leg
la **pieza** room; piece, loaf (*of bread*)
la **píldora** pill
el **pimentero** pepper shaker
la **pimienta** pepper
la **pintura** paint, painting
la **piña** pineapple
el **piso** floor, story (*building*)
la **placa** placard, license plate (*of an automobile*)
la **plancha** flatiron
planchar to iron
la **plata** silver
el **plátano** banana
la **platea** box at the back (*of a theater*)
platicar to converse, chat
el **platino** platinum
el **plato** plate, dish
el **plegado** pleat
plegar (ie) to pleat
poblado, –a thick, populated
el **poblado** settlement, village, town
poco, –a a little bit, a little
poder (ue) to be able, can
el **policía** policeman
la **policía** police force
el **polvo** powder, dust; **— para los dientes** tooth powder
el **pollo** chicken
la **pomada** salve, pomade
pon *familiar command of* **poner**
poner to place, put; **— la mesa** set the table; **—se** become, put on (*clothes*); **el sol se pone** the sun sets
ponga *pres. subj. of* **poner**
por by, for, through, on account of, because of; **— eso** for that reason; **— fin** at last, finally; **— lo general** generally; **— aquí** this way; **— dentro** from inside, inside; **— favor** please
la **porcelana** chinaware, porcelain
porque because
¿ por qué ? why
portarse to behave
posterior back
el **postre** dessert
el **potrero** stable yard, enclosed pasture, corral
el **precio** price
precioso, –a beautiful, precious, priceless
predilecto, –a favorite
la **preferencia** preference
preferir (ie, i) to prefer

la **pregunta** question
preguntar to question, ask a question
el **prendedor** brooch, pin, clip
prender to pin, fasten; turn on (*the light*)
la **presentación** introduction, presentation
prestar to lend
la **primavera** spring (*season*)
primero, -a first
el **primo,** la **prima** cousin
principiar to begin
el **principio** entrée
probar (ue) to try, try on; taste
pronto quickly, soon; **lo más — posible** as soon as possible
la **propina** tip (*for service*)
el **protagonista** hero (*in a story*)
la **protagonista** heroine (*in a story*)
provisional temporary, provisional
próximo, -a next, near-by
pudiera *imp. subj. of* **poder**
pudo (poder) he, she, you, it could
el **pueblo** small town
el **puente** bridge
el **puerco** pig
la **puerta** door
pues well, since
puesto (poner) put, placed
la **pulgada** inch
el **pulmón** lung
la **pulsera** bracelet
el **pulso** pulse
la **puntada** stitch
el **punto** point, period; **en —,** sharp
la **punzada** sharp pain
el **puño** cuff, fist
el **puro** cigar

Q

que that, who, which
¿ qué ? what ? **¡ qué !** how (*if followed by an adjective*); what a (*if followed by a noun*); **¿ — más ?** what else ?
quebrar (ie) to break
quedarse to remain, stay, be
quejarse to complain
quemar to burn
querer (ie) to want, wish, love, desire, like; **— decir** mean
el **queso** cheese
quien who
¿ quién ? who ?
quinientos, -as five hundred
la **quinina** quinine
quinto, -a fifth
quisiera *imp. subj. of* **querer**
quitar to remove, take away; **—se** take off (*clothes*)

R

el **rábano** radish
radiodifundir to broadcast
radiodifusora broadcasting (*station*)
el **radioescucha** radio listener, radio audience
Rafael Ralph
la **rama** branch
el **ramillete** bouquet
la **rampa** ramp
la **rapidez** rapidity, swiftness, velocity
raro, -a rare, odd
el **raso** satin
el **rastrillo** rake
rasurar to shave
el **rato** while, interval; **al —,** after a while
la **raya** dash, blank, stripe

rayado, -a striped
la **reata** rope, riata, lariat
rebajado, -a reduced in price
la **rebanada** slice, piece
rebanado, -a sliced
rebanar to slice
el **recado** message
la **recámara** bedroom
la **receta** recipe, prescription
recetar to prescribe, write a prescription
recién recently
reciente recent
la **reclamación** adjustment, reclamation
recoger to pick, gather, collect
el **recogido** tuck
recorrer to survey, go over, traverse
recortar to trim, clip
recto, -a straight, erect
redondo, -a round
referir (ie, i) to tell, relate, refer
el **reflector** searchlight
refregar (ie) to scrub thoroughly
el **refresco** refreshment
la **regadera** sprinkler
el **regalo** gift, present
regar (ie) to sprinkle, water
registrar to examine
la **regla** rule, foot rule
regresar to return
la **reja** iron grating (*on a window or gate*)
relacionado, -a related
el **reloj** watch, clock
remendar (ie) to mend
la **remolacha** beet
remolcar to tow, drag
rendir (i) to surrender, submit
la **reparación** repair, reparation
el **reparto** cast of characters
el **repaso** review
el **repollo** cabbage
la **representación** showing, performance
representar to perform (*a play*), present (*a play*)
el **repuesto** replacement
la **res** beef (*animal*)
respetuosamente respectfully
retirarse to leave, withdraw
el **retrato** portrait
reunir to gather, collect
reventar (ie) to burst
revisar to examine, check
la **revisión** examination (*not scholastic*)
la **rienda** rein
rigor: de —, required
el **rincón** corner (*inside*)
rizado, -a curly
robar to rob, steal
el **roble** oak tree
rodear to round up
el **rodeo** roundup, rodeo
la **rodilla** knee
rojo, -a red
rompible breakable
la **ropa** clothes; **— interior** underclothes
Rosa María Rosemary
roto, -a broken, shattered, torn, worn out
el **rubí** ruby
rubio, -a blond
la **rueda** wheel
ruidoso, -a noisy

S

el **sábado** Saturday
saber to know
sabroso, -a tasty, savory
el **sacacorchos** corkscrew
sacar to extract, take out

el **saco** coat (*of a suit*); sack
sacudir to shake
la **sal** salt; **la — Epsom** Epsom salts
la **sala** living room, sitting room, parlor; **— de equipaje** baggage room; **— de espera** waiting room
la **salchicha** sausage
el **salero** salt shaker
la **salida** exit, departure
salir to leave, depart, go away, go out
la **salpicadera** fender
la **salud** health
saludar to greet, speak to, salute
el **saludo** greeting
la **sandía** watermelon
la **sangre** blood
santo, –a holy, saintly
el **santo** saint
el **sarampión** measles
la **sarga** serge
la **sartén** frying pan, skillet
el **sastre** tailor
la **sastrería** tailor's shop
se oneself, himself, herself, themselves, yourself, yourselves
sé (**saber**) I know
secar to dry
seco, –a dry
secundario, –a secondary
la **seda** silk
seguida: en —, immediately, right away, at once
seguir (**i**) to follow, go on, continue
segundo, –a second
la **seguridad** security, surety
la **semana** week; **una — sí y otra no** every other week
el **semblante** appearance
el **sembrado** cultivated field
sembrar (**ie**) to sow, plant
la **semilla** seed
sencillo, –a simple, plain
sentado, –a seated
sentar (**ie**) to fit; **—se** sit down
el **sentido** meaning, consciousness
sentir (**ie, i**) to regret, be sorry; **—se** feel
la **seña** sign, mark
la **señal** signal, sign
señalar to point out
el **señor** man, gentleman
la **señora** lady, madam
la **señorita** young lady, miss
sepa *pres. subj. of* **saber**
septiembre September
séptimo, –a seventh
seque *pres. subj. of* **secar**
ser to be; **son las doce** it is twelve o'clock; **es la una** it is one o'clock
la **serie** series
serio, –a serious, grave
el **serrucho** saw
la **servilleta** table napkin
servir (**i**) to serve
sesenta sixty
la **seta** mushroom
setecientos, –as seven hundred
setenta seventy
severo, –a severe
sexto, –a sixth
si if
sí yes; **uno sí y otro no** every other
la **siembra** sowing, planting
siempre always; **para —**, forever
siga *pres. subj. of* **seguir**
el **significado** meaning, significance
significar to mean, signify

sigue (**seguir**) he, she, you, it follows
siguiente following
silbar to whistle
el **silbido** whistle
la **silla** chair; saddle
el **sillón** armchair
simpático, –a nice, charming, likeable
sin without; — **embargo** however, nevertheless
sino but
el **sinónimo** synonym
el **síntoma** symptom
sinuoso, –a winding, sinuous
la **sinusitis** sinus trouble
el **sitio** site; siege; taxi stand
el **smoking** tuxedo
sobre over, above, on
el **sobre** envelop
la **sobrina** niece
el **sobrino** nephew
la **soga** rope
el **sol** sun, sunshine; **al —, in** the sun
solamente only
la **solapa** lapel
soldar (**ue**) to knit (*bone*), solder (*metal*)
soleado, –a sunny
solo, –a sole, single, only, alone
soltero, –a single
el **soltero** bachelor
la **sombra** shadow, shade; **a la** —, in the shade
la **sombrerería** hat shop
el **sombrero** hat
son (**ser**) they, you are
sonar to sound, ring
el **sonido** sound
la **sonrisa** smile
la **sopa** soup
Sor *old Spanish for* sister *or* nun
sorprender to surprise
la **sortija** finger ring
soy (**ser**) I am
su his, her, your, its, their
suave soft, mild, gentle
la **subida** ascent, climb, upgrade
subir to raise, ascend, get on, climb; **—se** ascend, get on, climb
subrayado, –a underlined
el **subterráneo** cellar
sucio, –a dirty
el **sudadero** saddle blanket
Sudamérica South America
la **suegra** mother-in-law
el **suegro** father-in-law
el **suelo** floor, ground, soil
suelto, –a loose
la **suerte** luck
suficiente enough, sufficient
sufrir to suffer, endure, put up with
superior upper, superior
supuesto: por —, of course
el **sur** south
el **surtido** assortment, stock
el **surtidor** sprinkler
el **suyo,** la **suya** (los **suyos, las suyas**) his, hers, yours, theirs, its

T

la **tabla** board; — **para planchar** ironing board; — **de lavar** washboard
el **tablero** shelf, dashboard
la **tablilla de lavandera** washboard
la **tacita** small cup, demitasse
el **tacón** heel (*of a shoe*)
la **tachuela** tack
el **talón** heel (*of a foot*)
la **talla** size (*of a dress*)
el **tamaño** size

también also, too
tampoco neither, either
tan so, as
el **tanque** tank
tanto, -a so much
la **tapa** top, lid
tapar to cover, put a top on
el **tapete** small rug
la **taquilla** ticket booth
la **taquillera** ticket seller
tardar to delay, be long in
la **tarde** afternoon; **de la —,** P.M.; **buenas tardes** good afternoon
tarde late
la **tarea** homework, task
la **tarjeta** card
el **taxímetro** taxi
la **taza** cup
te thee, to thee, you, to you, for you, thyself, yourself
el **té** tea
el **techo** roof, ceiling, top (*of a car*)
la **tela** cloth; **— de alambre** wire screen
el **telón** theater curtain
temer to fear
la **temporada** time, season
temprano early
ten *familiar command of* **tener**
las **tenacillas** pliers
tender (**ie**) to stretch out, extend, lie down
el **tendero** shopkeeper
tendrá (**tener**) he, she, you, it will have
tendré (**tener**) I shall have
el **tenedor** fork
tener to have, hold, possess; **— frío** be cold (*said of a person*); **— hambre** be hungry; **— cuidado** be careful; **— miedo** be afraid; **— prisa** be in a hurry; **— la culpa** be to blame, be guilty; **— que** must, have to
tenga *pres. subj. of* **tener**
tengo (**tener**) I have
tercero, -a third
el **terciopelo** velvet
terminar to end, finish
el **término** term; **— medio** average
la **ternera** veal
la **tetera** teapot
la **tía** aunt
el **tiempo** time; weather; **a —,** on time; *see* **hacer**
la **tienda** store, shop
tiene (**tener**) he, she, you, it has **¿ qué — ?** what is the matter ?
la **tierra** earth, land
el **tifo** typhus fever
la **tifoidea** typhoid
las **tijeras** scissors; **— grandes** shears
el **timbre** electric bell; postage stamp
la **tina** tub; **— de lavar** washtub; **— de baño** bathtub
el **tío** uncle
el **tipo** type, kind
el **tirante** suspender
tirar to throw, throw away; shoot
la **toalla** towel
el **tocador** dressing table
tocar to touch, ring, knock (*at a door*), play (*an instrument*)
el **tocino** bacon
todavía still, yet
todo, -a all
el **toldo** awning
tomar to take, drink; **— el desayuno** eat breakfast
el **tomate** tomato

el **tónico** tonic
el **tono** shade, tone, color
la **tontería** foolishness
el **topacio** topaz
el **toque** swab, touch; stroke (*of the clock*)
el **tórax** thorax
torcido, -a twisted
el **tornillo** screw
el **toro** bull
la **toronja** grapefruit
la **torre** tower; — **del radio** radio tower
la **tortilla de huevo** omelet
la **tos** cough; — **ferina** whooping cough
toser to cough
tostar (ue) to toast
el **tostón** *Mexican fifty-cent piece*
la **traba** strap (*of a shoe*)
el **trabajador** worker, laborer
trabajar to work
traducir to translate
traduzca *pres. subj. of* **traducir**
traer to bring
el **tráfico** traffic
trágico, -a tragic
traiga *pres. subj. of* **traer**
traigo (traer) I bring
el **traje** tailored suit; — **de baño** bathing suit
trajeron (traer) they, you brought
tranquilo, -a tranquil, peaceful
transmitir to transmit, send over a wire, broadcast
el **tranvía** streetcar, tramway
el **trapeador** mop
el **trapito de lavar** dish rag
el **trapo** rag
tras after
trasplantar to transplant
el **traste** dish
el **tratamiento** treatment
tratar to try, attempt
treinta thirty
el **tren** train; — **expreso** express train; — **mixto** mixed train; — **de carga** freight train
el **tribunal** court of justice
el **trigo** wheat
el **tronco** trunk (*of tree or body*)
el **trozo** piece, bit
la **trulla** trowel
tu your (*familiar*)
tú thou, you
la **tuberculina** tuberculin
el **tubo** tube
la **tuerca** nut (*machinery*)
el **tul** tulle, maline, net
el **tulipán** tulip
el (la) **turista** tourist
la **turquesa** turquoise
tuve (tener) I had
tuvieron (tener) they, you had
tuvo (tener) he, she, you, it had

U

último, -a last, ultimate
uno, -a one, a
la **uña** fingernail, toenail
usar to use, wear
el **uso** use
usted you
la **uva** grape

V

va (ir) he, she, you, it goes
la **vaca** cow
vaciar to empty
vacío, -a vacant, empty
el **vado** dip in the road
el **vagón-cama** sleeper, sleeping car

la **vainilla** vanilla
la **vajilla** set of dishes, chinaware
valer to be worth; **— la pena** be worth the trouble
el **valle** valley
va(n) (**ir**) he, she, you, it goes
vámonos let's go
vamos (**ir**) we go, let's go
el **vaquero** cowboy
la **varilla** rod (*for curtains, towels, etc.*)
vario, -a various, several, different
la **vasija** vessel, dish, piece of chinaware
el **vaso** drinking glass
vaya *pres. subj. of* **ir**
ve V (*letter*)
vea *pres. subj. of* **ver**
la **vecindad** neighborhood, community
veintidós twenty-two
veintiún twenty-one
la **velocidad** velocity, speed
vendar to bandage
vender to sell
vendrá (**venir**) he, she, you, it will come
vendremos (**venir**) we shall come
venga *pres. subj. of* **venir**
la **venida** coming, arrival
venidero, -a coming, next
venir to come
la **venta** sale
la **ventana** window
la **ventanilla** window (*of an automobile*), small window
ver to see; **a —,** let's see; **—se** appear, look, seem
el **verano** summer
la **verdad** truth
verde green
la **verdura** vegetable
la **vereda** path
el **vestido** dress; **— sastre** woman's suit; **— de baño** bathing suit; **— de noche** evening dress
vestir (**i**) to dress
la **vez** time, turn; **en — de** instead of; **de — en cuando** now and then; **alguna —,** once; **a la —,** at the same time
viajar to travel
el **viaje** trip, journey; **— redondo** round trip
el **viajero** traveler
la **vida** life
el **vidrio** glass
viejo, -a old
viene (**venir**) he, she, you, it comes
el **viento** wind
el **viernes** Friday
el **vinagre** vinegar
vinieron (**venir**) they, you came
vino (**venir**) he, she, you, it came
la **visita** guest, visitor; visit
la **vista** view, sight, vista; **hasta la —,** good-bye
la **viuda** widow
el **viudo** widower
vivir to live
volado, -a flared, wide
el **volante** steering wheel; **— fruncido** ruffle
volar (**ue**) to fly
voltear to turn over; overturn
volver (**ue**) to return; **—se** turn around
voy (**ir**) I go
la **voz** voice
la **vuelta** turn; **de —,** at the return, returned, returning
vuelto (**volver**) returned

Y

y and
ya now, already
la **yarda** yard
la **yema** yolk
el **yerno** son-in-law
el **yeso** plaster of Paris, plastering
yo I
el **yodo** iodine

Z

el **zafiro** sapphire
la **zanahoria** carrot
la **zapatería** shoe store
la **zapatilla** slipper
el **zapato** shoe
la **zarzamora** blackberry
zurcir to darn

VOCABULARY

INGLÉS–ESPAÑOL

A

a un, uno
abdomen el abdomen
abdominal abdominal
ability la habilidad
about acerca de, de
above arriba; encima de
accelerator el acelerador
accident el accidente
accompany acompañar
account la cuenta
ache doler (ue)
ache el dolor
act el acto
activity la actividad
actor el actor
actress la actriz
additional adicional
address la dirección
Adele Adela
adjust ajustar
adjustment la reclamación
admit admitir
adult adulto, –a
advertise anunciar
advertisement el anuncio
aerial aéreo, –a
aeroplane el avión, el aeroplano
affable afable
after después de
afternoon la tarde
afterwards después
against contra
age la edad
agency la agencia
agent el agente
ago *see* **time**
agree estar conforme
agreed conforme
ah ay
aid ayudar
air el aire
air mail el correo aéreo
airport el aeropuerto
aisle el pasillo
Alexander Alejandro
alfalfa la alfalfa
all todo, –a
alleviate aliviar
alligator pear el aguacate
all right está bien, está bueno
almost casi
alone solo, –a
Alphonse Alfonso
already ya
also también
although aunque

always siempre
ambulance la ambulancia
America América
American americano, –a
amethyst la amatista
amiable amable
among entre
amplifier el amplificador, el magnavoz
and y, e
Andrew Andrés
animal el animal
Anna Ana
announce avisar
announcement el aviso
announcer el anunciador
annoying necio, –a
another otro, –a
answer contestar
antenna la antena
any cualquier, –a
apparel (*wearing apparel*) el artículo de vestir
appear parecer; verse
appearance el semblante
appetite el apetito
apple la manzana
apply aplicar
apply brakes frenar
appointment el compromiso
approach acercar
approachable afable
apricot el chabacano
April abril
aquamarine la aguamarina
aquiline aguileño, –a
arm el brazo
army el ejército
around alrededor de
arrange arreglar
arrangement el orden
arrest aprehender
arrive llegar
article el artículo
as como; **as . . . as** tan . . . como
ascend subirse
ascent la subida
ascertain averiguar
ask a question preguntar, hacer una pregunta
ask for pedir (i)
asparagus el espárrago
aspirin la aspirina
assist atender (ie), ayudar
assistant el (la) ayudante
assortment el surtido
astronomical astronómico, –a
at a, en
attempt tratar
attention la atención
attract atraer
audience el auditorio
August agosto
aunt la tía
author el autor
automobile el coche, el automóvil, el auto
autumn el otoño
avenue la avenida
average el medio, el término medio
aviator el aviador
avocado el aguacate
awning el toldo
axle el eje

B

bachelor el soltero
back la espalda; *adj.* posterior, de atrás; *adv.* atrás; — **of** detrás de
backache el dolor de espalda
background el foro
back yard el corral
bacon el tocino
bad malo, –a
badly mal
baggage el equipaje; — **room** la sala de equipaje; — **carrier** el cargador

bail la fianza
baked al horno
balcony la galería (*theater*); el balcón
bald calvo, –a
banana el plátano, la banana
bandage vendar
banding la cinta
bangs el fleco
bank el banco
bank (*of a stream*) la orilla
banker el banquero
bar la barra
barbarous bárbaro, –a
barbecue la barbacoa
bargain la ganga
barley la cebada
barrel el barril
basket la canasta
baste hilvanar
bath el baño
bathe bañar, bañarse
bathing suit el vestido de baño, el traje de baño
bathroom el cuarto de baño
bathtub la tina de baño
battery (*storage*) el acumulador, la batería
be estar, ser
be able poder (ue)
be acquainted with conocer
be becoming sentar (ie) bien
be born nacer
be careful tener cuidado
be cold (*person*) tener frío
be composed constar
be hungry tener hambre
be in a hurry tener prisa
be in charge of encargarse de
be late atrasar, tardar
be like parecer
be long in tardar en
be missing faltar
be named llamarse
be pleasing to gustar
be to blame tener la culpa
be worth valer
bead la cuenta
bean (*dried*) el frijol
bean (*string*) el ejote
bear llevar
beard la barba
beautiful hermoso, –a, lindo, –a, precioso, –a, bello, –a
because porque; — **of** por, a causa de
become ponerse, hacerse
bed la cama
bedroom la alcoba, la recámara
beef la carne de res; (*animal*) la res
beefsteak el biftec, el filete
beet el betabel
before antes de (*time*); delante de (*place*)
begin principiar, comenzar (ie), empezar (ie)
behave portarse
behind *adv.* atrás, detrás; *prep.* detrás de
believe creer
bell (*electric*) el timbre
belong to pertenecer; corresponder
below *adv.* abajo; *prep.* debajo de
belt el cinto, el cinturón
bench el banco
bend inclinar
bent chueco, –a
berth la cama; **lower** —, la cama baja; **upper** —, la cama alta
best el (la) mejor
better mejorar
better mejor
between entre
bicycle la bicicleta
big gran(de)
bill la cuenta
biscuit (*English*) la galleta
bit (*of a bridle*) el bocado del freno

bit (*small piece*) el trozo
bite to eat el bocado
bitter amargo, –a
black negro, –a
blackberry la zarzamora
blade la hoja
blame la culpa
blank la raya
blanket la cobija, la manta
blister la ampollita
block la cuadra, la manzana
blond rubio, –a, güero, –a
blood la sangre
blouse la blusa
blow el golpe
blue azul; **navy —,** azul marino; **light —,** azul claro
board la tabla
body el cuerpo; **— of a car** la carrocería
boil hervir (ie, i)
bolt el perno
bond (*bail*) la fianza
bone el hueso
book el libro
boot la bota; **riding —,** la bota de montar
border (*frontier*) la frontera
borrow pedir (i) prestado, –a
boss el jefe
bottle la botella, el frasco
bouquet el ramillete
bow inclinarse
box la caja
box (*theater*) el palco; (*at the back of the theater*) la platea
boy el muchacho, el niño
bracelet el brazalete, la pulsera
brake frenar
brake el freno
branch la rama
brand herrar (ie)
brand la marca
branding el herradero
bread el pan
break quebrar (ie)
breakable rompible
breakfast *or* **eat breakfast** desayunar(se), tomar el desayuno
breakfast el desayuno
breakfast food el cereal
breaking (*a law*) la infracción
breeze la brisa
bric-a-brac el bricabrac
brick el ladrillo
bride la novia
bridegroom el novio
bridge el puente
bridle el freno
brief breve
brim (*hat*) el ala (*f.*)
bring traer, acercar
broadcast difundir, radio-difundir, transmitir
broadcasting radiodifusora
broadcloth el paño fino
broiled a la parrilla
broken roto, –a, quebrado, –a, fracturado, –a
brooch el prendedor, el broche
broom la escoba
broth el caldo
brother el hermano
brother-in-law el cuñado
brought up educado, –a; **well —,** bien educado, –a
brown café, moreno, –a, castaño, –a
brunette moreno, –a
brush el cepillo, la brocha; **toothbrush** el cepillo de dientes
bucket el balde, el bote, el cubo
buckle la hebilla
bud el botón
buffalo el búfalo
buffet el aparador
build construir
building el edificio
bull el toro
bumper la defensa

bunch el manojo
bundle el bulto
burden cargar
burden la carga
burn quemar
burning el incendio
burn out (*fuse or globe*) fundirse
burst reventar (ie)
bus el ómnibus, el camión
busy ocupado, -a
busy oneself ocupar
but pero, mas, sino
butcher el carnicero
butcher's shop la carnicería
butter la mantequilla
buttermilk la leche agria
button el botón
buttonhole el ojal
buy comprar
buyer el comprador
by por, a, de

C

cabbage el repollo, la col
cabinet el armario; **medicine —,** el botiquín; **china —,** la cristalera
café el café
cake el pastel; **individual —,** el pastelito; **layer —,** el (la) hojaldre; **loaf —,** el mamón
calf el becerro
call llamar
can el bote; **tin —,** la lata
candy los dulces
cantaloupe el melón
canvas la lona
cap la gorra, la cachucha
capital (*city*) la capital
capsule la cápsula
captain el capitán
car el coche
card la tarjeta
care el cuidado
care for cuidar
carefully cuidadosamente
carnation el clavel
carpenter el carpintero
carrot la zanahoria
carry llevar
carton la cajetilla, el paquete
cartridge el cartucho
cash: pay —, pagar al contado
cashier el cajero, la cajera
cashier's desk *or* **window** la caja
cast of characters el reparto
castor oil el aceite de castor
cat el gato, la gata
catarrh el catarro
catch coger, alcanzar
Catholic católico, -a
cattle el ganado vacuno
cauliflower la coliflor
cause causar
cause la causa
caution la precaución, el cuidado
ceiling el techo
celebration la fiesta, la celebración
celery el apio
cellar el subterráneo
cement el cemento
cent el centavo
center el centro
centimeter el centímetro
central (*telephone*) la central
cereal el cereal
certainly ¿cómo no? ciertamente
chain la cadena
chair la silla; **rocking —,** la mecedora; **armchair** el sillón; **armchair in a theater** la butaca
change cambiar
change el cambio
character (*in fiction*) el personaje
charcoal el carbón de leña
charge (*on a bill or account*) cargar a la cuenta
charm encantar

charming simpático, –a, encantador, –ora
chauffeur el chofer
cheap barato, –a
check revisar; (*baggage*) facturar
check (*in design*) el cuadro
cheek la mejilla
cheese el queso
cherry la cereza
chest el pecho
chewing gum el chicle
chicken el pollo
chief el jefe
chiffonier la cómoda
child el niño, el hijo, el menor
childhood la niñez
chili el chile
chimney la chimenea
chin la barba
chinaware la porcelana, la vajilla; **piece of —,** la vasija
chocolate el chocolate
choke ahogarse
choker (*automobile*) el aire
choose escoger
chop la chuleta
cigar el puro
cigarette el cigarro
cinch la cincha
circuit el circuito; **short —,** el corto circuito
city la ciudad
civil civil
class la clase
classification la calificación
clean limpiar
clean limpio, –a
cleaning la limpieza
cleanliness la limpieza
cleanser el limpiatodo
clear claro, –a
clear the table levantar la mesa
clerk el (la) dependiente, el empleado, la empleada
clever listo, –a
client el (la) cliente
climate el clima
climb subirse
climb la subida
clip recortar
clip el prendedor, el broche
clock el reloj
close cerrar (ie)
closet (*for clothes*) el guardarropa
cloth el género, la tela; **woolen —,** el paño
clothes la ropa
cloudy nublado, –a
clutch (*automobile*) el embrague
coach el coche; **first-class —** (*of a train*) el coche de primera; **second-class —** (*of a train*) el coche de segunda
coal el carbón de piedra
coat (*sack*) la americana, el saco; **woman's —,** el abrigo; **man's overcoat** el abrigo
coat hanger el gancho
coffee el café
coffee pot la cafetera
coin la moneda
cold (*temperature*) el frío
cold (*in the head*) el catarro, el resfriado
cold frío, –a
collar el cuello
collect acudir, reunir, colectar, recoger
collide chocar
collision el choque
Cologne water el agua (*f.*) de Colonia
colonel el coronel
color el color, el tono
Columbus Colón
come acudir, llegar, venir
comedian el cómico
coming la venida
coming entrante, venidero, –a
command mandar, ordenar

commence comenzar (ie)
commit cometer
community la vecindad
companion el compañero, la compañera
company la compañía
compete competir (i)
competent competente
complain quejarse
complete completar
complete completo, –a
completely completamente
compose componer
composition la composición
condition la condición
conduct conducir
conductor el conductor
congratulate felicitar
congratulations las felicidades
connect conectar
consent consentir (ie, i)
consist constar
constitution la constitución
construct construir
consulate el consulado
consultation la consulta
contempt of court la contumacia
contest (*in roping and riding animals*) la fiesta charra
continue continuar, seguir (i)
contrary el contrario
conversation el diálogo, la conversación
converse platicar
cook cocer (ue), cocinar
cool fresco, –a
copper el cobre
corkscrew el sacacorchos
corn el maíz; **green —**, el elote
corner (*inside*) el rincón
corner (*outside*) la esquina
corral el corral
correct correcto, –a
correspond corresponder
cosmetic el cosmético
cost costar (ue)
cotton el algodón
cottonwood (*tree*) el álamo
cough toser
cough la tos; **whooping —**, la tos ferina
count la cuenta
country el campo
couple la pareja
court el juzgado, el tribunal
courtesy la cortesía
courtyard el patio
cousin el primo, la prima
cover cubrir, tapar
cover el cubierto; **furniture —**, el forro para el mueble
covered cubierto, –a
cow la vaca
cowboy el vaquero
cracker la galleta
cradle la cuna
crash estrellarse
cream la crema
crepe el crepé
criticize criticar
crooked chueco, –a; torcido, –a
crop la cosecha
crossing el cruce
crown (*hat*) la copa
crutch la muleta
crystal cristal
cucumber el pepino
cuff el puño
cup la taza
cupboard la alacena
curative curativo, –a
cure curar, aliviar
cure la curación, el tratamiento
curly rizado, –a
current la corriente
curtain (*lace*) la cortina
curtain (*theater*) el telón
curve la curva
cushion el cojín
customer el (la) cliente

customhouse la aduana
customs officer el agente de la aduana
cut cortar
cute gracioso, –a

D

daily diario, –a
daisy la margarita
damp húmedo, –a, mojado, –a
dampen mojar
dance bailar
dance el baile
danger el peligro
dark obscuro, –a
darn zurcir
dash la raya
dashboard el tablero
date la fecha; (*appointment*) el compromiso; **what is the —?** ¿a cómo estamos?
daughter la hija
daughter-in-law la nuera
dawn el amanecer, la madrugada
day el día (*m.*)
dead muerto, –a
December diciembre
decent decente
declaration la declaración
declare declarar
decoration el adorno
deep hondo, –a, profundo, –a
degree el grado
delay atrasar, tardar
delightfully deliciosamente
deliver entregar
Delphine Delfina
demitasse la tacita, la media taza
demonstrate demostrar (ue)
dented abollado, –a
dentist el dentista
depart partir, salir
department el departamento
departure la salida
depend depender
descend bajarse
descent la bajada
describe describir
desert el desierto
design el dibujo
designer la modista
desire querer (ie), desear
desire el deseo, el gusto
dessert el postre, el dulce
detour la desviación
dial (*radio*) localizar
dial la escala
dialog el diálogo
diamond el diamante
dictate dictar
dictation el dictado
difference la diferencia
different distinto, –a
difficult difícil
dig escarbar
dining room el comedor
dip (*on a highway*) el vado, ei columpio
diphtheria la difteria
direction la dirección, la instrucción
directory el directorio
dirty sucio, –a
disaster el desastre
disease la enfermedad
dish el traste, la loza, la vasija
dish towel el limpiador
disinfect desinfectar
disinfectant desinfectante
dismiss (*an employee*) despedir (i)
dispatch el despacho
distance la distancia; **in the —,** a lo lejos
distilled destilado, –a
distinguish distinguir
disturbing alborotador, –ora
ditch (*irrigation*) la acequia
divan el sofá
do hacer

doctor el doctor, el médico
dog el perro, la perra
doll la muñeca
dollar el dólar
door la puerta
double doblar
double boiler el baño de maría
downtown el centro; **go —,** ir al centro
dozen la docena
drag remolcar
drama el drama (*m.*)
drapery (*window*) la cortina
drawer el cajón
drawing el dibujo
dress vestir (i)
dress el vestido; **woman's evening —,** el vestido de noche; **man's evening clothes** el traje de etiqueta
dressed (*fowl*) limpio, -a
dresser la cómoda
dressing table el tocador
dressmaker la costurera, la modista
drink tomar, beber
drive (*motor or horse*) manejar, guiar
drop la gota
drown ahogarse
druggist el boticario, el droguero, el farmacéutico
drugstore la botica, la farmacia, la droguería
drunk borracho, -a
dry seco, -a
dry secar
dusk el crepúsculo
dust el polvo
duty (*tax*) el derecho, los derechos

E

each cada
ear la oreja; **inner —,** el oído
early temprano, -a
earn ganar, merecer; **— a living** ganar la vida
earring el arete, la arracada
earth la tierra
east el este
eat comer; **— supper** cenar; **— breakfast** desayunar(se); **— dinner** comer
edge la orilla
effective emocionante
egg el blanquillo, el huevo; **soft boiled —s** los huevos pasados por agua; **scrambled —s** los huevos revueltos; **fried —s** los huevos estrellados
eight ocho
eighteen diez y ocho
eighth octavo, -a
eighty ochenta
either o; **— . . . or** o . . . o
elbow el codo
electric eléctrico, -a
elegant elegante
eleven once
Eliza Elisa
else: what — ? ¿qué más? **nothing —,** nada más
Elsie Elisa
emerald la esmeralda
Emmanuel Manuel
emotional emocionante
employee el empleado, la empleada
empty vaciar
empty vacío, -a
enamel el esmalte
enchant encantar
encounter encontrar (ue)
end acabar, terminar
end el extremo, el fin
endure sufrir
engagement el compromiso
engine la locomotora
engineer (*civil, mechanical, electrical, chemical*) el ingeniero

English inglés, inglesa
Englishman el inglés
enough bastante, suficiente
enter entrar
entering entrante
entire entero, –a
entrance la entrada
entrée la entrada, el principio
envelop envolver (ie)
envelope el sobre
equal igual
equally igualmente
equestrian charro, –a, ecuestre
erect construir
error el error, la falta
eruption la erupción
estate la hacienda
evening la noche
event el acontecimiento
even though aunque
ever jamás
every cada; — **other day** un día sí y otro no
exact exacto, –a, mero, –a
examination la revisión; **scholastic —**, el examen
examine revisar, registrar, examinar
example el ejemplo
excess el exceso
exchange cambiar
excuse dispensar, perdonar; — **me** con su permiso
exercise el ejercicio
exit la salida
expect esperar
expensive caro, –a, costoso, –a
explosion la explosión
express el expreso
expression la expresión
extend extender (ie), tender (ie)
extinguish apagar
extract sacar
extremity la extremidad
eye el ojo
eyebrow la ceja
eyeglasses los lentes, los anteojos
eyelash la pestaña

F

face dar a
face la cara, el rostro
facing enfrente
fact el dato
factory la fábrica
fail faltar, fallar; **without —**, sin falta
fall caerse
fall (*season*) el otoño
family la familia
famous famoso, –a, ilustre, célebre, insigne
fan el abanico
far away lejos
farm el rancho
fashion la moda; **in —**, de moda
fashionable elegante, de moda
fasten amarrar, prender
fat gordo, –a, grueso, –a
father el padre, el papá
father-in-law el suegro
faucet el grifo, la llave
favor el favor
favorite predilecto, –a, favorito, –a
fear temer
February febrero
federal federal
feed el forraje
feel sentirse (ie, i)
felt el fieltro
fence la cerca
fender la salpicadera
fern el helecho
fever la calentura, la fiebre; **scarlet —**, la fiebre escarlatina; **yellow —**, la fiebre amarilla
field el campo; **cultivated —**, el sembrado

fifteen quince
fifth quinto, –a
fifty cincuenta
file la lima
filet el filete
fill llenar; — **the prescription** hacer la receta
film la película
finally por fin, al fin
find encontrar (ue), hallar, localizar
find out averiguar, enterarse
fine multar
fine la multa
fine bueno, –a, fino, –a
finger el dedo
finish acabar, terminar
fire (*an employee*) despedir (i)
fire el incendio
fireman el bombero
fireplace la chimenea
first primero, –a
fiscal fiscal
fish el pescado
fist el puño
fit sentar (ie)
five cinco
fix arreglar, componer
fix attention fijar
fixed compuesto, –a
flannel la franela
flared volado, –a
flat (*said of a tire*) picado, –a
flatten aplastar
flock la manada
floor el suelo, el piso
florist's shop la florería
flower la flor
flower bed el cuadro de flores
flowered floreado, –a
fly volar (ue)
fly la mosca
fodder el forraje
fold doblar
follow seguir (i)
following siguiente
food el abarrote, la alimentación, la comida, el alimento, el comestible
foolish necio, –a, tonto, –a
foolishness la tontería
foot el pie
football el fútbol
for por, para
forbid prohibir
foregoing anterior
forehead la frente
foreman (*ranch*) el caporal
forget olvidarse
fork el tenedor
form la forma
former anterior
forty cuarenta
forward adelante
four cuatro
fourteen catorce
fourth cuarto, –a
fractured fracturado, –a
frame (*picture*) el marco
Frank Francisco, Pancho
Frederick Federico
free gratis, libre
French francés, francesa
Frenchman el francés
fresh fresco, –a
Friday el viernes
fried frito, –a
friend el amigo, la amiga
fringe el fleco
frisky brioso, –a
from de, desde
front delantero, de adelante; **in** —, delante; **in — of** delante de
frontier la frontera
frown fruncir el cejo
fruit la fruta
fry freir (i), guisar
frying pan la sartén
full lleno, –a
funeral home la casa mortuoria

fur la piel
furniture (*piece of*) el mueble; (*coll.*) los muebles
furniture store la mueblería
fuse el fusible

G

gabardine la gabardina
gain ganar
gallon el galón
game el juego
garage el garage
garden el jardín
gardener el jardinero
gardenia la gardenia
garter la liga
gasoline la gasolina
gather acudir, reunirse, recoger
gauge el medidor
gearshift la palanca de velocidades
gem la joya
general el general
general general
generally por lo general, generalmente
gentle manso, –a
gentleman el señor
George Jorge
get cloudy nublarse
get in (*a vehicle*) subirse a
get off (*a vehicle*) bajarse de
get well aliviar
gift el regalo
gilded dorado, –a
girdle la faja
girl la niña, la muchacha
give presentar, dar
give notice avisar
glass el cristal, el vidrio
glass (*drinking*) el vaso
glassware el cristal
gleam brillar
glove el guante
go ir, caminar, funcionar
go away irse
go down bajarse
go on seguir (i), continuar
go out salir
go over recorrer
go shopping ir de compras
go to bed acostarse (ue)
goat la cabra; **—s** el ganado cabrío
goblet la copa
God Dios
going la ida
gold el oro
golden dorado, –a
good bueno, –a
good afternoon buenas tardes
good morning buenos días
good night buenas noches
good-bye adiós, hasta la vista, hasta luego
goodness la bondad; **goodness !** ¡ caramba !
gout la gota
graceful gracioso, –a
grade la calificación
grain el grano, el cereal
gram el gramo
grandfather el abuelo
grandmother la abuela
grape la uva; **bunch of —s** el racimo de uvas
grapefruit la toronja
grass el pasto
grave grave
gray gris
grease la grasa
greasy grasoso, –a
great gran(de), famoso, –a
greater mayor
greatest mayor
green verde
greet saludar
greeting el saludo
grief la pena

grill la parrilla
grilled a la parrilla
grocery el abarrote
ground el suelo, la tierra
group el grupo
grow crecer, darse
guard guardar
guess adivinar
guest el (la) huésped, el invitado, la invitada, la visita
guide guiar
guilt la culpa
guilty culpable; **to be —,** tener la culpa

H

hair el cabello, el pelo
hairpin la horquilla
half la mitad
half medio, -a; **— a dozen** media docena
hall el pasillo
halt el alto
halt! ¡ alto!
halter el cabestro
ham el jamón; **boiled —,** el jamón cocido
hammer el martillo
hand la mano (*f.*); **shake —s** dar la mano; **by —,** a mano
handkerchief el pañuelo
handle manejar
handle el mango
handwriting la letra
hangar el hangar
hang up colgar (ue)
happening el acontecimiento
happiness la felicidad
happy contento, -a, feliz, alegre
hardware dealer el ferretero
hardware store la ferretería
harvest la cosecha
hat el sombrero
hat shop la sombrerería
Havana la Habana
have tener, haber
have just acabar de + *inf.*
have to tener que
hay el heno
head la cabeza
head (*of an organization*) el jefe
headache el dolor de cabeza
health la salud
hear oír
heart el corazón
heat el calor
heater el calentador
heaven el cielo; **heavens!** ¡ caramba!
hectare (*2.47 acres*) la hectárea
hedge la cerca
heel (*foot*) el talón
heel (*shoe*) el tacón
height la estatura
Helen Elena
hello ¿ qué hubo? ¿ qué húbole? (*on the telephone*) listo, bueno, ¿ quién habla?
help ayudar
helper el (la) ayudante
hem la bastilla, el dobladillo
hemorrhage la hemorragia
Henry Enrique
her la (*dir. obj.*)
her su (*poss. adj.*)
herd la manada
here aquí
hero (*in fiction*) el protagonista
heroine (*in fiction*) la protagonista
hers el suyo, la suya, los suyos, las suyas
herself se
hide la piel
high alto, -a
high-priced caro, -a, costoso, -a
highway la carretera
him lo, le (*dir. obj.*)
himself se
hinge la bisagra, el gozne

his *adj.* su; *pron.* el suyo, la suya, los suyos, las suyas
hit dar en
hit el golpe
hoe el azadón
hog el cerdo, el puerco; **—s** el ganado de cerda
hold tener
hole el agujero
holy santo, –a
homework la tarea
honeymoon la luna de miel
honeysuckle la madreselva
hook el gancho
hope esperar
hope la esperanza
horn (*of an automobile*) la bocina, el klaxon
horrible horrible
horse el caballo
hose (*clothing*) la media
hose (*rubber*) la manguera
hospital el hospital
hot (*with fire or sun*) caliente, caluroso, –a
hot (*with pepper*) picante
hotel el hotel
hot-water bottle la bolsa de hule para agua caliente
hour la hora
house la casa
housekeeper el ama (*f.*) de casa
how? ¿cómo?
how! (+ *an adj.*) ¡qué!
however sin embargo
how much? ¿cuánto?
human humano, –a
hundred cien, ciento
hunt for buscar
hurry apurarse
hurt doler (ue), lastimar, herir (ie, i)
husband el esposo
hydroplane el hidroavión

I

I yo
ice el hielo
ice cream el helado, la nieve
iced helado, –a
identification la identificación
if si
ill enfermo, –a, malo, –a
illness la enfermedad
imagine imaginarse
immediately en seguida, inmediatamente
immigration officer el agente de migración
immovable inmóvil
impolite bárbaro, –a
import duty el importe
imported importado, –a
impose imponer
imprison encarcelar
improve mejorar
in en
inch la pulgada
incline inclinarse
incomparable incomparable
increase crecer, aumentar
independence la independencia
indicate indicar
indigestion la indigestión
industrious aplicado, –a
inexpensive barato, –a
Inez Inés
infected infectado, –a
inferior inferior
inflamed inflamado, –a
informal informal
inform oneself enterarse
in front of delante de
injection la inyección
injured one el herido, la herida
in order to a, para
inside dentro; **from —,** por dentro
inside of dentro de

inspection la revisión
in spite of a pesar de
instead of en vez de
instruction la instrucción
insufferable insoportable
insulate aislar
insulation el aislamiento
interest interesar
intermission el entreacto
intersection (*street*) la bocacalle
introduction la presentación
inverse inverso, -a
invitation la invitación
invite invitar
iodine el yodo
iron planchar
iron la plancha
iron (*metal*) el fierro, el hierro
iron grating la reja
ironing board la tabla de planchar
it la, lo (*dir. obj.*)
its *adj.* su; *pron.* el suyo, la suya, los suyos, las suyas
itself se
ivory el marfil
ivy la hiedra

J

jacket la chaqueta
James Jaime
Jane Juana
January enero
jar el frasco
Jean Juana
jelly la jalea
jerk arrancar
Jew el judío, la judía
jewel la joya
jeweler el joyero
jewelry store la joyería
Jewish judío, -a
Joe José, Pepe
John Juan
Joseph José
Josephine Josefina
journey el viaje
judge el juez
juice el jugo
July julio
June junio

K

keep guardar
kettle la cazuela, la olla
key la llave
key ring el llavero
kid (*leather*) la cabritilla
kilocycle el kilociclo
kilogram el kilogramo (*m.*)
kilometer el kilómetro
kind el tipo, la clase
kind bondadoso, -a, amable
kindness la bondad
kitchen la cocina
kitchen utensils la batería de cocina
knee la rodilla
knickknack el bricabrac
knife el cuchillo, el machete, la navaja, el cortaplumas
knit (*said of a bone*) soldar (ue)
knob la perilla
knock at the door tocar a la puerta
know conocer, saber

L

laborer el trabajador, la trabajadora
lace el encaje
lack faltar
lack la falta
ladder la escalera; **stepladder** la escalera de mano
lady la señora
lake la laguna, el lago
lamb el cordero
lamp la lámpara; **floor —,** la lámpara de pie

land (*an aeroplane*) aterrizar
land la tierra
landlord el patrón
landowner (*large*) el hacendado
language el idioma, la lengua
lapel la solapa
lard la manteca
large gran(de), inmenso, –a, enorme
larger más grande
largest más grande
larkspur la espuela
lasso lazar
lasso el lazo
last último, –a; **at —,** por fin, al fin
last night anoche
late tarde
later después
lateral lateral
lavatory el lavamanos
lawbreaker el infractor
lawn mower la cortadora de césped
lawyer el abogado
lead conducir
leaf la hoja
league la liga
lean flaco, –a
learn aprender; **— by heart** aprender de memoria
least el (la) menor; **at —,** cuando menos, por lo menos
leather el cuero
leave partir, salir, irse, dejar, retirarse
leaving la dejada
left izquierdo, –a
leg la pierna
lemon el limón
lend prestar
lengthen alargar
less menos
lesson la lección
let's see a ver
letter la carta; (*of the alphabet*) la letra
lettuce (*head of*) la lechuga, la romana
license la licencia
lid la tapa
lie down tenderse (ie), acostarse (ue)
life la vida
lift levantar
light encender (ie)
light la luz; **beacon —,** el faro
light (*in color*) claro, –a
light (*in weight*) ligero, –a
light globe el foco
like gustar, querer (ie)
like como
likeable simpático, –a
lily la azucena
lime la lima
line la línea
linen el lino
liniment el linimento
lining el forro
linoleum el linóleo
lip el labio
liquid el líquido
list la lista
listen escuchar
liter el litro
literally al pie de la letra
little *adj.* pequeño, –a, chico, –a, poco, –a; *adv.* poco
live vivir
liver el hígado
living room la sala
load cargar
load la carga
loaf (*of bread*) la pieza, el bollo
locate localizar
locomotive la máquina, la locomotora
long largo, –a
look at mirar
look for buscar

look like parecer
loose suelto, –a
loose-fitting gran(de)
loosen aflojar
lose perder (ie)
loss la pérdida
lotion la loción, la crema
loud fuerte
Louis Luis
Louise Luisa
love amar, querer (ie)
lovely precioso, –a, lindo, –a
low bajo, –a
lower bajar
lower inferior, bajo, –a, de abajo
luck la suerte
Luke Lucas
lullaby la canción de cuna
lumber la madera
lung el pulmón
lustrous lustroso, –a
luxurious lujoso, –a

M

machine la máquina
made hecho, –a
mahogany la caoba
maid (*servant*) la criada
mail el correo
major mayor
make hacer
make a note of apuntar
make a turn dar la vuelta
malaria el paludismo
man el hombre
manager el gerente
marble el mármol
March marzo
mark la seña
marry casarse con
Martha Marta
Mary María
master el amo
material el género
matter la materia, el asunto; **what is the —?** ¿qué le pasa? ¿qué tiene?
maximum máximo, –a
May (*month*) mayo
mayonnaise la mayonesa
me me
meal la comida
mean querer decir, significar
meaning el sentido, el significado
means los medios
meanwhile mientras tanto
measles el sarampión
measure medir (i)
measure la medida
measurement la medida
meat la carne
meat market la carnicería
mechanic el mecánico
medicated esterilizado, –a
medicine la medicina
medium mediano, –a
meet encontrar (ue)
member el miembro, el socio
memorize aprender de memoria
memory la memoria
mend remendar (ie)
mentholatum el mentolato
menu la lista
mere mero, –a
message el recado
metal el metal
meter el metro, la medida
Mexican mexicano, –a
microphone el micrófono
middle el medio
middle medio, –a; **in the —,** en medio
midnight la medianoche
mile la milla
milk la leche
mining minero, –a
minor el menor
minute el minuto
mirror el espejo

misfortune la desgracia
miss (*said of a gasoline motor cylinder*) fallar
Miss la señorita
mistake la falta, el error
mistress el ama (*f.*)
mixed compuesto, –a, mixto, –a
moderate moderar
moderate módico, –a
moist mojado, –a
mold el molde
mole (*on skin*) el lunar
moment el momento
Monday el lunes
money el dinero
month el mes
moon la luna
mop el trapeador
more más
morning la mañana; **good —,** buenos días
morphine la morfina
mortar la mezcla
mother la madre, la mamá
mother-in-law la suegra
motor la máquina, el motor
motorcycle la motocicleta
mountain la montaña
mouth la boca
mouthful el bocado
move mover (ue)
movies el cine
movie theater el cine, el cinematógrafo
Mr. el señor
Mrs. la señora
much mucho, –a; **very —,** muchísimo, –a
mud el lodo
muddy: it is —, hay lodo
mule la mula; **—s** el ganado mular
mushroom el champiñón, la seta
music la música
musical musical
must deber, tener que, haber de
mustache el bigote
mutton el carnero
my mi

N

nail el clavo
nail (*finger*) la uña
nail (*toe*) la uña
name el nombre; **what is your —?** ¿cómo se llama?
napkin la servilleta
narrow angosto, –a, estrecho, –a
national nacional
nationality la nacionalidad
native nativo, –a, natural
near *adv.* cerca; *prep.* cerca de
near-by cercano, –a, próximo, –a
neat aseado, –a
necessary necesario, –a
neck el cuello
necklace el collar
necktie la corbata
need necesitar
needle la aguja
negative negativo, –a
neighbor el vecino, la vecina
neighborhood la vecindad
neighboring cercano, –a, vecino, –a
neither ni, tampoco; **— . . . nor** ni . . . ni
nephew el sobrino
net el tul, la red
never nunca, jamás
nevertheless sin embargo
new nuevo, –a
news la noticia
newsboy (*on a train*) el agente de publicaciones
newspaper el periódico
next próximo, –a, vecino, –a, entrante, contiguo, –a
nice simpático, –a
niece la sobrina

night la noche
nightfall el anochecer
nightgown la camisa de dormir
nightshirt la camisa de dormir
nine nueve; — **hundred** novecientos, –as
nineteen diez y nueve
ninety noventa
ninth noveno, –a
no *adv.* no; ninguno (ningún), –a
noisy alborotador, –ora, ruidoso, –a
noon el mediodía
north norte
North American norteamericano, –a
nose la nariz
nostril la nariz
not no
nothing nada; — **else** nada más
notice hacer caso, fijar
notice el aviso
nourishment la alimentación
November noviembre
now ahora, ya; **right** —, ahora mismo
now and then cada cuando, de vez en cuando, de cuando en cuando
number el número
nurse (*hospital*) la enfermera
nut la nuez
nut (*machinery*) la tuerca

O

oak (*tree*) el roble
oatmeal la avena
oats la avena
obey obedecer
object el objeto
obligatory obligatorio, –a
observe observar
occupied ocupado, –a
occupy ocupar
October octubre
odd raro, –a
of de
of course ¿cómo no? por supuesto
office el despacho, la oficina; **doctor's** —, el consultorio
official oficial
oh ay
oil el aceite
ointment el ungüento
old viejo, –a, anciano, –a
older mayor
oleander el adelfo
olive la aceituna, la oliva
omelet la tortilla de huevo
on a, en, sobre
one uno, –a
oneself se
onion la cebolla
only *adj.* solo, –a, único, –a; *adv.* sólo, solamente
opal el ópalo
open abrir
opera glasses los gemelos
operate operar
operation la operación
operator (*telephone*) la central
opposite *adj.* opuesto, –a, contrario, –a; *adv.* enfrente
or o
orange la naranja
orchestra la orquesta; — **section** (*of a theater*) la luneta
orchid la orquídea
order ordenar, mandar
order (*arrangement*) el orden
order (*command*) la orden
ornament el adorno
other otro, –a; **the** —**s** los (las) demás; **every** —, uno sí y otro no
ought deber de
our nuestro, –a
ourselves nos (*obj.*)

out of order descompuesto, –a
outside fuera; **on the —,** por fuera
oval ovalado, –a
oven el horno
over encima de, sobre
overcoat el abrigo
over yonder allá
owe deber
owner el dueño, la dueña

P

package el bulto, el paquete
padlock el candado
pain doler (ue), lastimar
pain el dolor, la punzada
paint la pintura; **— brush** la brocha
painting la pintura
pair el par
pajamas las pijamas
palm la palma
pan la bandeja
Pan American panamericano, –a
pansy el pensamiento
pantry la alacena, la despensa
paper el papel
parachute el paracaídas
pardon perdonar
park estacionarse
park el parque
parlor la sala
parrot el perico, el periquito
part la parte; (*in a play*) el papel
party la fiesta
pass pasar
pass el paso
passenger el pasajero, la pasajera
passport el pasaporte
past pasado, –a
paste la pasta
pastry el pastel
patent leather el charol
path la vereda
patient el (la) paciente
Patrick Patricio
pattern el patrón; el molde, el dibujo
Paul Pablito
paved pavimentado, –a
pavement el pavimento
pay pagar; **— a bill** ajustar; **— cash** pagar al contado
pay attention to atender (ie)
pea el chícharo
peaceful tranquilo, –a
peach el durazno, el melocotón
pear la pera
pearl la perla
penitentiary la penitenciaría
people la gente, el pueblo
pepper la pimienta
pepper shaker el pimentero
perfect perfecto, –a
perform representar
performance la función
period el punto
perjure perjurar
permanent wave el ondulado permanente
permission el permiso
permit permitir
permit el permiso
person la persona
personality el carácter
pertain pertenecer
pet consentir (ie, i)
petroleum el petróleo
petticoat el fondo
pharmacy la farmacia
phrase la frase
physical físico, –a
piano el piano
pick recoger
pick up levantar, coger, recoger
picture el cuadro
pie el pastel
piece el pedazo; la rebanada; el trozo; **— of music** la pieza

piece goods el género
pig el puerco, el cerdo; **—s** el ganado de cerda
pill la píldora
pillow la almohada
pilot el piloto
pimple la espinilla
pin prender
pin (*straight*) el alfiler; (*clip*) el prendedor
pineapple la piña
pink color de rosa
pitcher la jarra
placard la placa
place poner
place el lugar
place (*at table*) el cubierto
placed puesto, –a
plain sencillo, –a
plain (*without figures*) liso, –a
plane (*carpenter's*) el cepillo
plank la tabla
plant sembrar (ie)
plantation la hacienda
planting la siembra
plastering el yeso
plaster of Paris el yeso
plate el plato; **license —,** la placa
platinum el platino
play (*games*) jugar
play (*an instrument*) tocar
play (*theater*) la comedia
play the part hacer el papel
playwright el dramaturgo
pleasant amable
please por favor
pleasure el gusto; **with —,** con mucho gusto
pleat plegar
pleat el plegado
pliers los alicates, las tenacillas
plum la ciruela
pocket el bolsillo
point el punto, la punta
point out señalar
police court la comisaría
police force la policía
policeman el policía, el gendarme
polish (*for shoes*) la grasa; el betún
polite cortés, decente
politely cortésmente
politeness la cortesía
pomade la pomada, la crema
poor malo (mal), –a, pobre, mísero, –a
poorly mal
poplar el álamo
poppy la amapola
populated poblado, –a
porcelain la porcelana
pork la carne de puerco
porter el cargador; **Pullman —,** el mozo del pullman
portrait el retrato
positive positivo, –a
possess tener, poseer
post office el correo
pot la olla
potato (*Irish*) la papa
potato (*sweet*) el camote
pound la libra
powder el polvo
practice ensayar, practicar
precaution la precaución
precinct la comisaría
prefer preferir (ie, i)
preference la preferencia
première el estreno
prepare preparar
prescribe recetar
prescription la receta
present presentar, dar
present (*a play*) representar
present (*gift*) el regalo
present actual
presentation la presentación
pretty bonito, –a
price el precio
priceless precioso, –a

prick picar
principal principal
print el dibujo
prison la cárcel
private particular
profession la profesión
profile el perfil
profit by aprovechar
program el programa
prohibit prohibir
proposal (*of marriage*) la declaración
propose marriage declararse
Protestant protestante
prune la ciruela
pug-nosed chato, –a
Pullman el pullman
pull up (*a plant*) arrancar, desherbar (ie)
pulse el pulso
pump la bomba
puncture picar
pupil el alumno, la alumna
purchase comprar
purchase la compra
pure puro, –a
purse la bolsa
put poner, meter, colocar
put a top on tapar
put down dejar
put on clothes ponerse

Q

quart el cuarto
quarter el cuarto
quarters (*for farm hands or cowboys*) la cuadrilla
question preguntar
question la pregunta; **ask a —,** hacer una pregunta
quickly pronto
quinine la quinina
quirt la cuarta, el látigo
quite bastante

R

rack la percha
radiator el radiador
radio el radio
radio audience el radioescucha
radio listener el radioescucha
radish el rábano
rag el trapo; **dish —,** el trapito de lavar
railroad el ferrocarril
rain llover (ue)
rain la lluvia
raise levantar, subir
rake el rastrillo
Ralph Rafael
ramp la rampa
ranch el rancho
rancher el ranchero
rapidity la rapidez
rare raro, –a
raspberry la frambuesa
raw crudo, –a
rayon el rayón
reaction la reacción
read leer
ready listo, –a
reap cosechar
reared educado, –a; **well —,** bien educado, –a
receive recibir
receiver (*telephone*) la bocina
recent reciente
recently recién
recipe la receta
reclamation la reclamación
rectangular rectangular
red rojo, –a, colorado, –a
reduced reducido, –a, rebajado, –a
refer referir (ie, i)
refreshment el refresco
refrigerator el refrigerador
region la región
regular regular
rehearse ensayar

rein la rienda
relate referir (ie, i)
related relacionado, –a
relative el (la) familiar, el pariente, la parienta
religion la religión
remain quedarse
remainder los demás, las demás, lo demás
remove quitar
repair componer
repair la reparación
repaired compuesto, –a
reparation la reparación
replacement el repuesto
republic la república
request pedir (i)
required obligatorio, –a
requirement el rigor
reserve reservar
residence el domicilio, la casa, la residencia
respectfully respetuosamente
rest descansar
rest el descanso
restaurant el restaurant
result resultar
retail al por menor
return volver (ue), regresar
returned de vuelta, vuelto, –a
returning de vuelta
review el repaso
revision la revisión
revolver el revólver
rheumatism el reumatismo
rhinestone el brillante
riata la reata
rib la costilla
Richard Ricardo
ride (*a horse*) montar a caballo
right el derecho
right derecho, –a; **on the —, to the —,** a la derecha
ring tocar
ring (*finger*) el anillo, la sortija; **engagement —,** el anillo de compromiso; **wedding —,** el anillo de matrimonio
road el camino, la carretera
roast asar
rob robar
Robert Roberto
rock la piedra
rod (*for curtains, towels, etc.*) la varilla
rodeo el rodeo
rôle (*in a play*) el papel
roof el techo
room el cuarto, la pieza
rope el lazo, la soga, la reata, el mecate
rose la rosa
Rose Rosa
Rosemary Rosa María
round redondo, –a
round up rodear
roundup el rodeo
row la fila
rubber el hule, el caucho, la goma
rubber band la liga
ruby el rubí
rude bárbaro, –a
ruffle fruncir
ruffle el volante fruncido
rug (*large*) la alfombra
rug (*small*) el tapete
rule la regla
ruler la regla
run correr
run (*a machine*) guiar, manejar
running board el estribo
rural charro, –a, rural
rye el centeno

S

saddle ensillar
saddle la silla de montar
saddle blanket el sudadero
safety la seguridad; **— belt** el cinturón de seguridad

saint el santo, la santa
saintly santo, –a
salad la ensalada
sale la venta
salesperson el (la) dependiente
salt la sal
salts (*Epsom*) la sal Epsom
salt shaker el salero
salute saludar
salve el bálsamo, la pomada
same mismo, –a
sample la muestra
sandwich el emparedado
sapphire el zafiro
sash (*for the waist*) la faja
satin el raso
satisfied contento, –a
Saturday el sábado
sausage la salchicha
saw el serrucho
say decir
say good-bye despedirse (i)
scale la escala
scales la balanza
scar la cicatriz
scarecrow el espantapájaros
scene la escena
scholastic escolar
school la escuela; **high —,** la escuela secundaria
scissors las tijeras
scream gritar
scream el grito
screen (*movies*) la pantalla
screen (*wire*) la tela de alambre
screw el tornillo
screwdriver el desarmador, el destornillador
scrub fregar (ie), refregar (ie)
seam la costura
searchlight el reflector
season la estación, la temporada
seat el asiento
seated sentado, –a
second segundo, –a
secondary secundario, –a
section la sección
security la seguridad
see ver
seed la semilla
seek buscar
seem parecer, verse
select escoger
self mismo, –a
sell vender
send expedir (i), mandar, enviar
sentence la frase, la oración
September septiembre
sequence el orden
serge la sarga
series la serie
serious grave, serio, –a
servant el criado, la criada
serve servir (i)
service el servicio
set the table poner la mesa
set el juego; **dresser —,** el juego de tocador; **tea —,** el juego de té; **— of dishes** la vajilla
settle ajustar
seven siete; **— hundred** setecientos, –as
seventeen diez y siete
seventh séptimo, –a
seventy setenta
several varios, –as
severe severo, –a
sew coser
sewing la costura
sewing machine la máquina de coser
shade la sombra; **in the —,** a la sombra
shadow la sombra
shake sacudir; **— hands** dar la mano
shape (*face*) el mentón, la barbilla
sharp en punto
sharpen afilar
shattered roto, –a

shave afeitar, rasurar
she ella
shears las tijeras grandes
sheep la oveja; *pl.* el ganado lanar
shelf el tablero
shine brillar; *see* **sun**
shiny lustroso, –a
shirt la camisa
shoe el zapato
shoe store la zapatería
shoot tirar
shop ir de compras
shop la tienda
shopkeeper el tendero
shore la orilla
short breve, corto, –a
shorten acortar
short pants los calzoncillos
shorts el calzoncillo
shoulder el hombro
shout gritar
shout el grito
shovel la pala
show enseñar, mostrar (ue), demostrar (ue); — **for the first time** estrenar
show la función
showcase el mostrador, el aparador
shower bath el baño de regadera
showing la representación
shut cerrar (ie)
sick malo, –a, enfermo, –a
sick one el enfermo, la enferma
sickness la enfermedad
side el lado
sidewalk la banqueta, la acera
siege el sitio
sight la vista
sign firmar
sign la seña, la señal
signal la señal
signature la firma
signify significar
silk la seda
silver la plata
simple sencillo, –a
since como, pues, desde
single solo, –a
single (*not married*) soltero, –a
sink el lavadero
sinuous sinuoso, –a
sinus trouble la sinusitis
sister la hermana
sister-in-law la cuñada
sit down sentarse (ie)
site el sitio
sitting room la sala
six seis
sixteen diez y seis
sixth sexto, –a
sixty sesenta
size la talla, el tamaño
skill la habilidad
skillet la sartén
skin la piel
skinny flaco, –a
skirt la falda
skull el cráneo
sky el cielo
slam (*a door*) cerrar (ie) de golpe
sleep dormir (ue, u)
sleeping car el vagón-cama
sleeve la manga
slender delgado, –a, esbelto, –a
slice rebanar
slice la rebanada
sliced rebanado, –a
slim delgado, –a, esbelto, –a
slip (*underwear*) el fondo
slipper la zapatilla; **bedroom —,** la pantufla, la babucha
slow despacio, –a
slowly despacio
small pequeño, –a, chico, –a
smile la sonrisa
smoke fumar
smoothe asentar (ie)
sneeze estornudar
sneeze el estornudo

snow nevar (ie)
so así; tan (*with adj. or adv.*)
soap el jabón
soap dish la jabonera
sock el calcetín
sofa el sofá
soft suave, blando, –a
soil el suelo, la tierra
solder soldar (ue)
so many tantos, –as
some alguno (algún), –a
something algo
somewhat algo
so much tanto, –a
son el hijo
song la canción
son-in-law el yerno
soon pronto; **as — as possible** lo más pronto posible
sore la llaga
sorrow la pena
sort la clase
sound sonar, el sonido
soup la sopa
sour agrio, –a
south el sur
south sud (*adj.*)
South America Sudamérica
sow sembrar (ie)
sowing la siembra
Spaniard el español, la española
Spanish el castellano, el español
spark la chispa
spark plug la bujía
speak hablar
special especial
specialist el especialista
spectacles los anteojos, los lentes
speed la velocidad
spend (*time*) pasar
spend (*money*) gastar
spinach la espinaca
spirited brioso, –a
spit escupir
spoil (*a child*) consentir (ie, i)
spoiled descompuesto, –a, pasado, –a
spool el carrete
spoon la cuchara
sport el deporte
spring (*metal*) el muelle
spring (*season*) la primavera
sprinkle regar (ie)
sprinkler el surtidor, la regadera
spur la espuela
sputum el esputo
squash la calabacita
stable la cuadra, el potrero
stage (*theater*) la escena
stage setting la decoración
stain manchar
stain la mancha
stairway la escalera
stamp (*postage*) el timbre, el sello, la estampilla
star la estrella; **film —**, el (la) estrella
starter (*automobile*) la chispa
start quickly (*a car*) arrancar
state el estado
static la estática
station la estación
stature la estatura
stay quedarse
steak el filete; el biftec
steal robar
steering shaft (*automobile*) el árbol del volante
steering wheel el volante
stepladder la escalera de mano
sterilized esterilizado, –a
still todavía
stirrup el estribo
stitch coser
stitch la puntada
stock (*farm animals*) el ganado
stock (*flower*) el alelí
stock (*supply*) el surtido
stock exchange la bolsa
stocking la media

stock pen el corral
stomach el estómago
stomach-ache el dolor de estómago
stone la piedra
stone (*of a fruit*) el hueso
stool el banco
stop parar, detenerse, hacer alto
stop el alto, la parada, la escala
store la tienda
story (*floor*) el piso
stove la estufa
straight derecho, –a, recto, –a
straight ahead derecho, –a
strap (*leather*) la correa
strap (*shoe*) la traba
straw la paja
strawberry la fresa
straw stack el pajar
street la calle
streetcar el tranvía
stretch tender (ie)
stretcher la camilla
strike dar, dar en, golpear
stripe la raya
striped rayado, –a
stroke (*of a clock*) el toque
stroll pasear
strong fuerte
studio el estudio
studious aplicado, –a
study cursar, estudiar
study (*course at school*) la materia, la asignatura
study (*room*) el estudio
style el estilo, la moda; **be in —,** estar de moda
stylish elegante, de moda
subject matter la asignatura, el curso, la materia
submit rendir (i)
suede la piel de suecia
suffer sufrir
sufficient suficiente, bastante
sugar el (la) azúcar
sugar bowl la azucarera
suit (*woman's*) el vestido sastre
suit (*man's*) el traje
suitcase la maleta
summer el verano
sun el sol; **in the —,** al sol; **the — shines** hace sol
Sunday el domingo
sunny soleado, –a
sunshine el sol
supper la cena
supplementary adicional
surety la seguridad
surgeon el cirujano
surprise sorprender
surrender rendir (i)
survey recorrer
suspender el tirante
Suzanne Susana
swab el toque
sweater el sweater
sweep barrer
sweetheart el novio, la novia
sweet pea el chícharo de olor
swiftness la rapidez
swing el columpio
switch (*electric light*) el botón de la luz, la llave de la luz
symptom el síntoma (*m.*)
synonym el sinónimo
syrup el almíbar, el jarabe

T

table la mesa
tablecloth el mantel
tack la tachuela
tailor el sastre
tailor's shop la sastrería
take tomar, llevar
take a course cursar
take advantage of aprovechar
take away quitar
take charge encargarse
take off (*clothes*) quitarse

take off one's hat descubrirse
take out sacar, extraer
talk hablar, conversar
tall alto, –a
tame domar
tame manso, –a; doméstico, –a
tank el tanque
tape la cinta
tape measure la cinta de medir
task la tarea
taste probar (ue), gustar
taste el gusto
tasty sabroso, –a
tax el derecho, la tasa
taxi el taxímetro, el taxi
taxi stand el sitio
tea el té
teach enseñar
teacher el maestro, la maestra
teapot la tetera
teaspoon la cucharita
teeth (*set*) la dentadura
telephone el teléfono
tell decir, referir (ie, i)
temperament el carácter
temporary provisional
ten diez
tenth décimo, –a
thank dar las gracias
thanks las gracias
that que (*rel. pron.*)
that (*demons. adj.*) aquel, aquella; ese, esa; (*demons. pron.*) aquél, aquélla, aquello; ése, ésa, eso
the el, la, los, las, lo
theater el teatro
thee te
their su
theirs el suyo, la suya, los suyos, las suyas
them los, las
themselves se
then entonces, luego, después
there allá, allí
thermometer el termómetro
these (*demons. adj.*) estos, **–as;** (*demons. pron.*) éstos, –as
thick grueso, –a
thief el ladrón
thin flaco, –a, delgado, –a
thing la cosa
think pensar (ie), creer
third tercero, –a
thirteen trece
thirty treinta
this (*demons. adj.*) este, esta; (*demons. pron.*) éste, ésta, esto
this way por aquí
Thomas Tomás
thorax el tórax
thou tú
thought el pensamiento
thousand mil
thread ensartar
thread el hilo
three tres
thrill encantar
throat la garganta
through por
throw tirar
throw away tirar
Thursday el jueves
thus así
ticket el billete, el boleto; **first-class —,** el boleto de primera; **one-way —,** el boleto sencillo; **round-trip —,** el boleto de ida y vuelta
ticket booth la taquilla
ticket seller la taquillera
tie amarrar
tight-fitting entallado, –a
tiles el mosaico
time la hora; **daylight-saving —,** la hora oficial; **what — is it?** ¿qué hora es?
time el tiempo, la vez; **on —,** a tiempo; **a long (short) — ago** hace mucho (poco) tiempo
tip (*money*) la propina

tire (*automobile*) la llanta, el neumático, la goma
to a, para, hasta
toast tostar (ue)
today hoy
toe el dedo del pie
together juntos, -as
toilet (*water closet*) el excusado, el inodoro
tomato el tomate, el jitomate
tomorrow mañana
tone el tono
tongue la lengua
tonic el tónico
tonsil la angina
too demasiado, también
too much demasiado, -a
tooth el diente, la muela; **toothbrush** el cepillo de dientes; — **paste** la pasta para los dientes; — **powder** el polvo para los dientes
toothache el dolor de muelas
top la tapa; — **of a car** el techo
topaz el topacio
torn roto, -a
touch tocar
touch el toque
tourist el (la) turista
tow remolcar
towel la toalla
tower la torre; **radio** —, la torre del radio
town el poblado
toy el juguete
trademark la marca
traffic el tráfico
traffic officer el agente del tráfico
tragic trágico, -a
train el tren; **express** —, el tren expreso; **mixed** —, el tren mixto; **freight** —, el tren de carga
tranquil tranquilo, -a
translate traducir
transmit transmitir
transplant trasplantar
trash la basura
travel viajar
traveler el viajero, la viajera
traveling bag la maleta
traverse recorrer
tray la charola, la bandeja; **jeweler's** —, el muestrario
treatment el tratamiento, la curación
tree el árbol
trim recortar
trip el viaje; **round** —, el viaje redondo
trouser el pantalón
truck el camión
trunk (*baggage*) el baúl, la petaca
trunk (*tree or body*) el tronco
truth la verdad
try tratar, probar
try on (*clothing*) medirse (i)
tub la tina, el cubo
tube el tubo
tuberculin la tuberculina
tuberculosis la tuberculosis
tuck la alforza, el recogido
Tuesday el martes
tulip el tulipán
tulle el tul
turf el césped
turkey el guajolote, el pavo, el cócono
turn dar la vuelta
turn la vuelta
turn around volverse (ue)
turn off (*a light*) apagar
turn on (*a light*) prender, encender (ie)
turn over voltear
turnip el nabo
turquoise la turquesa
tuxedo el smoking
tweed el paño de lana de varios colores

twelve doce
twenty veinte
twilight el crepúsculo
twin el gemelo
twisted chueco, –a, torcido, –a
two dos; — **hundred** doscientos, –as
type el estilo, el tipo
typewrite escribir a máquina
typewriter la máquina de escribir
typhoid la tifoidea
typhus fever el tifo

U

ugly feo, –a
unbreakable irrompible
uncle el tío
under bajo, debajo de; *adj.* inferior
underlined subrayado, –a
underwear la ropa interior
unendurable insoportable
uninjured ileso, –a
United States los Estados Unidos
until hasta
unto hasta
up arriba
up-grade la subida
upper superior, de arriba
up to hasta
urgent urgente
us nos
use usar, emplear
use el uso
usher el acomodador
usual general, común, regular

V

vacant vacío, –a
vacation las vacaciones
vacuum cleaner la máquina eléctrica para barrer
valley el valle
vanilla la vainilla
various vario, –a
varnish el barniz
vase el florero
vaseline la vaselina
veal la ternera
vegetable la verdura
velocity la rapidez, la velocidad
velvet el terciopelo
Venetian blind la celosía
very muy
vessel la vasija
vest el chaleco
view la vista
village el poblado
vine la enredadera
vinegar el vinagre
violet la violeta
visit visitar
visit la visita
visitor la visita
vitamin la vitamina
vivid vivo, –a, fuerte
vocabulary el vocabulario
voice la voz

W

waistline la cintura
wait esperar
waiter el mesero, el mozo
waiting room la sala de espera
waitress la mesera
walk andar
wall la pared
wallet la cartera
walnut (*tree and nut*) el nogal
want querer (ie), desear
war la guerra
warn avisar
warning el aviso
wash lavar
washbasin el lavamanos
washboard la tablilla de lavandera, la tabla de lavar
washtub la tina de lavar

wastebasket el cesto de los papeles
watch el reloj
water regar (ie)
water el agua (*f.*)
watermelon la sandía
wave (*hair*) el ondulado; **permanent —,** el ondulado permanente
wax encerar
way el camino; el modo; **in that —,** así
wear llevarse, usar
wearing apparel el artículo de vestir
weather el tiempo; **the — is good (bad)** hace buen (mal) tiempo
Wednesday el miércoles
week la semana
weigh pesar
weight el peso
welcome bienvenido, –a; **you are —,** de nada
well bien, pues
well-groomed aseado, –a
well-mannered bien educado, –a, decente
west el oeste
wet mojar
wet húmedo, –a, mojado, –a
what? ¿qué? **what a . . . !** ¡qué . . . ! **— else?** ¿qué más?
what (*rel.*) lo que
whatever cualquier
wheat el trigo
wheel la rueda
wheelbarrow la carretilla
when cuando
when? ¿cuándo?
where donde
where? ¿dónde?
which ¿cuál? ¿qué?
which (*rel.*) que, el que, la que, los que, las que; el cual, la cual, los cuales, las cuales
while el rato; **after a —,** al rato
while mientras
whip el látigo
whisper decir al oído
whistle silbar
whistle el silbido
white blanco, –a
who? ¿quién? ¿de parte de quién?
who (*rel.*) que, el que, el cual, quien
whole entero, –a
wholesale al por mayor
whooping cough la tos ferina
why? ¿por qué?
why not? ¿cómo no?
wicker (*wood*) el mimbre
wide ancho, –a, volado, –a
widow la viuda
widower el viudo
wife la esposa
William Guillermo
willow tree el mimbre
win ganar
wind el viento, el aire
winding sinuoso, –a
window la ventana; **car —,** la ventanilla
window shade la persiana
windshield el parabrisas
wing el ala (*f.*)
winter el invierno
wire el alambre
wire screen la tela de alambre
wish querer (ie), desear
with con
withdraw retirarse
within dentro de, en
without sin
woman la mujer
wood la madera; (*for a fire*) la leña
wool la lana
word la palabra
work trabajar

worker el trabajador
world el mundo
world *adj.* mundial
worry afligir, apurarse
wound herir (ie, i)
wound la herida, la llaga
wrap up envolverse (ue)
wrist la muñeca
write apuntar, escribir
writing desk el escritorio
written escrito, –a

X

X (*letter*) equis

Y

yard la yarda
year el año
yearling el novillo
yellow amarillo, –a
yes sí
yesterday ayer
yet todavía
you usted, tú, vosotros
young lady la señorita
young man el joven
young woman la joven
your su
yours el suyo, la suya, los suyos, las suyas
yourself se
yourselves se

Z

zone la zona